Chère Lectrice,

*Vous lisez avec passion les histoires
de nos séries Romance et Désir. Vous les aimez,
vous les adorez, et vous aimeriez prolonger
encore ce moment privilégié que vous vivez
en compagnie de vos héroïnes préférées.*

*Pour répondre à votre souhait, Duo publie
aujourd'hui une nouvelle grande série :
Harmonie.*

*Harmonie, ce sont des romans plus longs,
riches en détails pittoresques, des romans
pleins de réalisme et de rêve.*

**Harmonie : des romans
pour faire durer votre plaisir,
quatre nouveautés par mois.**

Hollywood (Los Angeles)

Série Harmonie

NORA ROBERTS
Echo d'une passion

Les livres que votre cœur attend

Titre original : *Once More With Feeling* (2)
© 1983, Nora Roberts
Originally published by Silhouette Books
a Simon & Schuster division of Gulf
& Western Corporation, New York

Traduction française de : Regina Langer
© 1984, Éditions J'ai Lu
27, rue Cassette, 75006 Paris

Chapitre 1

Il l'observa à la dérobée. Elle n'avait vraiment pas changé depuis cinq ans. C'était comme si le temps avait renoncé à la marquer de son empreinte.

Petite, mince, Tina Williams était une jeune femme aux gestes rapides dont la nervosité toujours sous-jacente avait quelque chose d'émouvant et de sympathique. Le soleil de Californie avait prêté à son corps la couleur de l'ambre chaud et, à vingt-cinq ans, sa peau était restée aussi lisse et fraîche que celle d'un enfant. Quand elle y pensait, Tina pouvait lui accorder les soins les plus exigeants mais elle pouvait aussi l'oublier complètement sans que cela parût faire la moindre différence. Ses cheveux longs, épais, d'un noir profond, étaient simplement séparés par une raie au milieu. Ils tombaient, raides, jusqu'aux reins, flottaient et ondoyaient autour d'elle quand elle marchait.

Le visage, mutin, était rehaussé par des pommettes bien dessinées et un menton plutôt volontaire. Tina avait le sourire facile mais c'était surtout ses yeux qui exprimaient le mieux ses émotions. Larges, gris foncé, ils trahissaient les moindres sentiments de la jeune femme et révélaient son besoin constant d'aimer et d'être aimée. C'était sans doute cette extraordinaire affectivité qui avait été à la source de son incroyable succès. Mais il y avait aussi sa voix : riche, chaude, veloutée, elle l'avait propulsée au faîte de la gloire.

Tina se sentait toujours un peu mal à l'aise dans un studio d'enregistrement. On y était comme coupé du reste du monde par la vitre d'insonorisation. Cela faisait plus de six ans à présent qu'elle avait gravé son premier disque mais elle ne parvenait pas encore à s'y habituer. Elle se sentait davantage destinée à la scène, en contact direct avec le public qui la réchauffait de son sang et de sa chaleur.

Dans un studio, au contraire, tout semblait trop policé, trop mécanique. Elle se forçait alors à se concentrer exclusivement sur son travail. Et elle travaillait dur.

La séance d'enregistrement se déroulait bien. Tina écouta le play-back avec une concentration obstinée qui n'était plus tournée que vers la musique. La prise était bonne, mais aurait pu être meilleure encore. Quelque chose manquait dans la dernière chanson. Quelque chose d'important, sans qu'elle puisse parvenir à savoir quoi.

Tina fit un signe aux techniciens pour arrêter le play-back.

– Marc ?

Un homme aux cheveux couleur de sable, mince et musclé à la fois, pénétra dans la cabine insonorisée.

– Un problème ?

– C'est la dernière chanson. Je la trouve un peu...

Elle s'arrêta, cherchant ses mots.

– Vide, conclut-elle enfin. Qu'en penses-tu?

Elle respectait Marc Ridgely comme musicien et comptait sur lui en tant qu'ami. C'était un homme plutôt taciturne, amateur de westerns et d'oranges confites... et surtout l'un des meilleurs guitaristes du continent.

Il se gratta la barbe, geste qui, Tina le savait, remplaçait un long discours.

– Recommence, conseilla-t-il finalement. La partie instrumentale est bonne.

La jeune femme éclata de rire et ce rire avait les mêmes résonances chaudes et vibrantes que sa voix.

– Cruel, mais vrai... murmura-t-elle.

Elle replaça le casque sur sa tête et s'adressa aux techniciens de l'autre côté de la vitre.

– Reprise du dernier morceau : *Amour et Abandon*, s'il vous plaît. Je tiens de la meilleure autorité que la musique est bonne mais pas la chanteuse...

Elle vit Marc sourire. Puis la musique l'inonda.

Les yeux fermés, elle s'absorba dans la mélodie, une ballade lente, plaintive, parfaitement adaptée aux profondeurs voilées de sa voix. Elle en avait écrit les paroles longtemps auparavant mais n'avait consenti que récemment à les interpréter en public. Pour l'instant, seule comptait la musique qu'elle avait aussi composée elle-même.

Elle comprit brusquement que ce qui avait manqué auparavant était l'émotion. Jusque-là, Tina essayait toujours de refouler la force de ses sentiments pendant une séance d'enregistrement. Mais, à présent, elle les laissait la submerger tandis que sa voix flottait, abandonnée, sincère.

Une douleur fugitive la traversa, l'écho d'une souffrance qu'elle croyait depuis longtemps éteinte. Elle espéra un instant que chanter la libérerait de sa peine mais le chagrin restait là, même lorsque la musique s'arrêta.

Le silence retomba, lourd, dans le studio. Tina se sentait trop hébétée pour remarquer l'admiration tacite de son entourage. Elle retira le casque, brusquement gênée par son poids.

Marc pénétra dans le studio et glissa un bras autour de sa taille. Il la sentit trembler légèrement.

– Tout va bien? demanda-t-il.

– Oui...

Elle se pressa les tempes des doigts et fit entendre un rire étonné.

– Oui, bien sûr, reprit-elle. J'ai l'impression que je me suis laissée un peu aller dans cette chanson, cette fois-ci.

Il attira son visage contre le sien et, dans un élan plutôt rare pour cet homme timide, l'embrassa.

– Tu as été fantastique.

Tina se sentit réconfortée et les larmes qui perlaient à ses yeux séchèrent aussitôt.

– J'en avais besoin.

– De quoi? Du baiser ou du compliment?

– Des deux.

Elle éclata de rire en repoussant ses longues mèches de cheveux dans le dos.

– Tu sais bien, poursuivit-elle, que les stars ont constamment besoin de se sentir admirées.

La voix d'un choriste s'éleva dans le studio.

– De quelle star parlez-vous?

Tina se força à prendre un air à la fois menaçant et hautain.

– Vous, lança-t-elle, faussement arrogante,
vous êtes renvoyé.

En guise de réponse, le choriste lui adressa un
sourire épanoui. Comme tous, il connaissait suffisamment la simplicité de Tina pour ne pas se
sentir le moins du monde intimidé.

– Si vous me chassez, qui fera les chœurs ?

Tina se tourna vers Marc.

– Emparez-vous de lui et tuez-le.

Elle reporta son attention vers le studio derrière la vitre et poursuivit :

– Que personne ne sorte. Vous êtes fait, mon
ami !

Ce fut à ce moment précis que son regard
tomba sur l'homme qui l'observait, de l'autre
côté de la vitre.

Aussitôt, le sang se retira de ses joues et
l'émotion qui l'avait étreinte pendant la chanson
s'amplifia avec une force nouvelle, si incontrôlable qu'elle la fit presque vaciller.

– Brian...

Bien avant d'être un nom qu'elle avait mur-
muré tant de fois, c'était un rêve qu'elle avait
pourtant cru enfoui depuis longtemps. Les yeux
de l'homme accrochèrent les siens et Tina comprit que ce n'était pas un rêve : Brian était
vraiment revenu.

Des années d'apparitions sur scène avaient
enseigné à la jeune femme la maîtrise de ses
réactions. Cela avait toujours constitué un effort
surhumain, pourtant, car elle détestait porter un
masque sur son visage. Malgré tout, quand Brian
quitta la cabine des techniciens pour la rejoindre
dans le studio, Tina arborait une expression

calme et professionnelle. Elle était parvenue à maîtriser la tempête qui grondait en elle.

– Brian... C'est merveilleux de te revoir.

Elle lui tendit ses deux mains et approcha son visage pour recevoir la traditionnelle accolade échangée par deux étrangers se retrouvant par hasard dans le même milieu professionnel.

Tant de contrôle désorienta Brian. Un instant plus tôt, il avait remarqué sa pâleur, lu l'angoisse dans ses yeux. A présent, Tina était froide, distante. Il ne l'avait jamais connue aussi glacialement courtoise, à la fois mondaine et pratique. Il pensa s'être trompé auparavant : Tina avait *vraiment* changé.

– Tina...

Il lui donna un léger baiser et saisit ses deux mains.

– Tu es plus belle qu'une femme a le droit de l'être.

Des intonations irlandaises se mêlaient aux accents plus formels de l'anglais traditionnel. Tina l'observa.

Grand, presque trop mince, Brian avait les cheveux aussi sombres que Tina mais ils ondulaient et recouvraient un peu de leurs boucles les oreilles et le cou. Son visage n'avait pas changé : durement charpenté et bronzé, plus insolite que réellement beau. C'était pourtant ces traits à la fois inégaux et terriblement séduisants qui faisaient s'évanouir les filles pendant les concerts. Peut-être son charme provenait-il de cet air un peu rêveur qu'il tenait d'une mère irlandaise. Ou encore de sa réserve, tout aussi fascinante et, au contraire, typiquement britannique. Même maintenant, Tina se sentait irrésistiblement attirée par ces yeux immenses dont les teintes marine semblaient constamment hésiter entre le bleu et le vert. C'était un regard un peu inquiétant qui tranchait avec l'allure générale de décontraction qu'il affectait. Mais, surtout, Brian avait un charme et une sensualité irrésistibles...

– Tu n'as vraiment pas changé, Brian.

Elle avait parlé avec calme mais sur un ton presque interrogateur qui laissait percevoir pour la première fois son désarroi.

Brian eut un long sourire.

– C'est drôle, j'ai eu la même pensée en te regardant tout à l'heure. Je ne crois pas que cela soit vrai pour l'un ou l'autre d'entre nous.

– Sans doute pas, en effet.

Dieu, comme elle aurait voulu qu'il lui libérât enfin les mains!

– Qu'est-ce qui t'amène à Los Angeles, Brian?

– Les affaires, mon cœur.

Il avait répondu sur un ton caressant mais ses yeux continuaient d'explorer, millimètre par millimètre, le visage de Tina.

– Et, bien sûr, l'espoir de t'y revoir, acheva-t-il.

– Bien sûr...

Brian fut surpris par le sarcasme sous-jacent de ces mots. La Tina qu'il avait connue ignorait tout de ce registre. Perplexe, il haussa un sourcil et reprit avec cette franchise brutale qui le caractérisait :

– Je voulais te voir, Tina. J'en avais vraiment envie. Pouvons-nous dîner ensemble?

Les accents tendres de sa voix accélérèrent le pouls de la jeune femme. Ce n'est qu'un réflexe, pensa-t-elle. Une vieille habitude.

Elle essaya de garder ses mains inertes dans celles de Brian tandis qu'elle répondait :

– Je suis désolée, Brian. Mais je suis prise ce soir.

Elle chercha désespérément Marc des yeux mais, la tête penchée sur sa guitare, il était en train d'improviser quelque chose avec un autre musicien. Tina eut envie de jurer de frustration tandis que Brian suivait la direction de son regard. Ses yeux se rétrécirent.

– Dans ce cas, demain ?

Il lui souriait comme à une vieille amie, décontracté, neutre.

– J'ai besoin de te parler, poursuivit-il. Je passerai chez toi.

– Brian... commença Tina.

Elle essaya de dégager ses mains.

– Julie est toujours avec toi ?

Il avait posé sa question en souriant, sans même paraître s'apercevoir de la résistance de la jeune femme.

– Oui, je...

– Cela me fera plaisir de la revoir. Je passerai vers quatre heures. Je connais le chemin.

Il lui adressa un dernier sourire et l'embrassa. C'était un baiser rapide et amical. Puis il lui libéra les mains et quitta le studio.

– Oui, murmura Tina pour elle-même. Tu connais le chemin.

Une heure plus tard, elle franchissait en voiture le portail électrique de sa propriété. Elle n'avait jamais laissé son imprésario ou Julie lui imposer un chauffeur. Conduire lui éclaircissait les idées, aimait-elle à répéter, et elle prenait plaisir à s'accorder de temps en temps une pointe de vitesse.

Les pneus de la Lamborghini crissèrent quand elle freina devant l'entrée de la maison. Elle sortit si vite de la voiture qu'elle en oublia son sac et son trousseau de clés. Après avoir franchi en courant les trois marches qui conduisaient au perron, Tina s'aperçut de son oubli et fut forcée de retourner chercher les clés suspendues au contact de la voiture.

La porte claqua derrière elle et Tina se dirigea aussitôt vers le salon de musique, où elle se jeta sur le vieux canapé de style victorien recouvert de soie. Les yeux dans le vague, elle regardait sans la voir cette pièce qu'elle aimait tant. A droite, un immense piano à queue brillait doucement et paraissait occuper presque entièrement le salon. On s'en servait souvent, aux heures les plus étranges. Çà et là, des lampes Belle Epoque et des tapis persans apportaient une note de confort et de chaleur. Dans un vase, une violette africaine cherchait à éclore. Plus loin, un casier à musique croulait sous les partitions dont les pages dégringolaient en un joyeux désordre sur le sol. Plus loin encore, entre des bibelots précieux, trônait une grande licorne de cuivre que Tina avait dénichée chez un brocanteur et dont elle était tombée aussitôt éperdument amoureuse. Sur les murs, des affiches de concerts, des distinctions de toutes sortes : disques d'or et de platine, plaques et statues, ainsi que les clés de différentes villes. Sur un autre pan de mur étaient encadrés la partition de la première chanson de Tina, ainsi qu'un Picasso à vous couper le souffle.

Mais le divan sur lequel elle était allongée en ce moment n'avait pas de bons ressorts...

Ce curieux mélange de goûts et de cultures reflétait bien le caractère non conformiste de la chanteuse. Partout ailleurs dans la maison elle avait permis à Julie d'exercer son goût exigeant et sans défaillance. Mais c'était ici que Tina se sentait le mieux. Elle avait besoin de cette pièce, exactement comme elle préférait conduire sa voiture : cela l'aidait à conserver son équilibre et à ne jamais oublier la véritable Tina Williams. Mais, aujourd'hui, ni le salon de musique ni la conduite en voiture n'avaient réussi à calmer ses nerfs.

Elle se dirigea alors vers le piano.

Mozart explosa sous ses doigts. Sa musique, comme ses états d'âme, devenait torrentueuse, chaotique. Même lorsqu'elle eut terminé, une sorte de rage désespérée semblait encore suspendue dans l'air.

– Bon, je vois que tu es rentrée.

Calme, unie, la voix de Julie s'éleva du seuil. La jeune femme traversa la pièce exactement comme elle était entrée dans la vie de Tina : à la fois équilibrée et confiante. Quand les deux amies avaient fait connaissance, six ans plus tôt, Julie menait alors la vie oisive et ennuyée de ceux qui n'ont toujours connu que la fortune. Pourtant cette rencontre leur avait apporté à toutes deux quelque chose d'essentiel : l'amitié et une confiance réciproque sans défaillance. A présent, Julie gérait la myriade de détails que requérait la carrière de Tina. En échange, la vie de Julie trouvait enfin un sens qui avait si cruellement manqué aux univers mondains et brillants qu'elle avait connus jusque-là.

14

C'était une jeune femme grande et blonde et sa silhouette élégante avait le chic à la fois décontracté et recherché de la mode californienne.

– Comment s'est passé l'enregistrement?

Tina leva la tête et le sourire de Julie s'envola devant l'expression de détresse qu'elle lisait sur le visage de son amie.

– Qu'est-il arrivé?

Tina exhala un long soupir.

– Il est revenu.

– Où l'as-tu rencontré?

Julie n'avait nul besoin de demander de qui il s'agissait. Au cours des nombreuses années de leur association, elle savait que, seules, deux raisons pouvaient amener cette expression sur le visage de Tina. Et l'une d'entre elles était un homme.

– Au studio.

Tina glissa distraitement une main dans ses longs cheveux.

– Il était dans la cabine technique. Je ne sais même pas depuis combien de temps il m'observait.

Julie serra les lèvres.

– Je me demande vraiment ce que Brian Carstairs est venu faire en Californie.

– Je ne sais pas.

Tina secoua la tête.

– Il m'a dit que c'était pour affaires. Peut-être va-t-il commencer une tournée ici.

Elle essaya de chasser son anxiété en se frottant la nuque.

– Il vient ici demain.

Julie haussa un sourcil.

– Je vois.

Mais Tina l'implora :

– Je t'en prie, Julie, ne joue pas les secrétaires zélées avec moi.

Elle ferma les yeux.

– Aide-moi.

– Est-ce que tu veux vraiment le revoir?

C'était une question simple, pratique, Julie – Tina le savait – était une femme de bon sens. Elle savait se montrer organisée, logique, appliquée aux détails – en somme tout ce que Tina n'était pas. Les deux amies se complétaient parfaitement.

Tina essaya de répondre, désorientée :

– Non... Oui...

Elle jura entre ses dents et pressa ses mains sur ses tempes.

– Je ne sais plus.

Sa voix avait maintenant des accents de lassitude.

– Tu sais comment ça se passe, Julie. Oh! mon Dieu! Je croyais que tout était fini. Je le croyais vraiment!

Avec une sorte de gémissement, elle quitta le tabouret du piano et se mit à marcher de long en large dans la pièce. Avec son jean et son simple chemisier de coton, elle n'avait vraiment pas l'air d'une vedette. Sa garde-robe était pourtant garnie d'une gamme complète de toilettes, depuis la salopette jusqu'aux plus luxueux manteaux de fourrure. Mais ces derniers étaient réservés à la star et les jeans à la vraie Tina Williams.

– Je croyais avoir enterré ce passé si douloureux.

Sa voix basse avait des accents de désespoir. Elle ne parvenait toujours pas à comprendre comment elle avait pu demeurer aussi vulnérable après cinq années de séparation.

– Je savais bien qu'un jour ou l'autre je le reverrais quelque part.

Elle passa une main fébrile dans ses cheveux tout en errant à travers la pièce.

– Je m'imaginais que la rencontre se passerait en Europe – à Londres, par exemple –, probablement au cours d'une soirée ou d'une représentation quelconque. Cela m'aurait semblé plus facile. Mais, aujourd'hui, je n'ai eu qu'à lever les yeux et il était là. Alors, tout est revenu. Je n'ai même pas eu le temps de me ressaisir. Et, de surcroît, je chantais cette maudite chanson que j'avais écrite juste après son départ.

Tina se mit à rire en secouant la tête.

– Est-ce que ce n'est pas vraiment fou ?

Elle respira profondément et répéta :

– Vraiment fou ?

Le silence plana sur le salon pendant un long moment. Julie dit enfin :

– Que vas-tu faire ?

– Faire ?

Tina se tourna vers elle et ses cheveux flottèrent derrière ses épaules.

– Je n'ai pas l'intention de *faire* quoi que ce soit. Je ne suis plus une enfant qui s'accroche à tout prix à l'espoir d'une fin heureuse.

Son regard était encore obscurci par l'émotion mais elle sentait qu'elle regagnait progressivement son calme.

– Tu sais, j'avais à peine vingt ans quand j'ai rencontré Brian et son talent me fascinait. Il s'est montré bon pour moi à un moment où j'avais terriblement besoin de tendresse. Tout m'a submergée à la fois : Brian et mon propre succès.

Elle leva une main pour repousser les mèches qui lui barraient le front.

– Mais je n'ai pas pu lui donner ce qu'il me demandait alors. Je n'étais pas prête pour une relation physique.

Elle se dirigea vers la licorne en cuivre et laissa courir ses doigts le long de ses flancs.

– Alors il est parti, poursuivit-elle doucement. Et son départ m'a fait du mal. Tout ce que je pouvais comprendre – ou que je voulais comprendre – c'était qu'il ne m'avait pas aimée assez pour accepter que je dise non. Mais, bien sûr, c'était irréaliste.

Elle se retourna vers Julie avec un petit soupir de frustration.

– Pourquoi ne dis-tu rien?

– Tu te débrouilles bien sans moi.

– Bon, d'accord.

Tina enfonça ses mains dans ses poches et s'approcha de la fenêtre.

– Une des choses que j'ai apprises, c'est que si l'on ne veut pas être blessé, il ne faut pas s'approcher trop près. Tu es la seule personne avec laquelle je n'ai pas eu à appliquer cette règle. Et la seule aussi qui ne m'ait jamais abandonnée.

Elle respira profondément.

– Il y a des années, j'étais entichée de Brian. C'était peut-être une sorte d'amour, mais un amour d'adolescente, facile à oublier. Pourtant, j'ai éprouvé un choc en le revoyant tout à l'heure. Surtout à la fin de cette chanson. C'était une coïncidence si...

Elle essaya de refouler son émotion et se retourna.

– Brian vient demain. Il me dira ce qu'il a à dire et puis il partira. Et tout sera terminé. Fin.

Julie étudia le visage de Tina.

– Vraiment la fin?

– Oui, vraiment.

Tina eut un sourire. Elle se sentait lasse mais plus sûre d'elle à présent.

– J'aime ma vie comme elle est, Julie. Et ce n'est pas lui qui va la changer. Personne, d'ailleurs. Plus maintenant.

Chapitre 2

Ce jour-là, Tina s'était habillée avec un soin particulier. Elle chercha à se convaincre que c'était en raison des différents rendez-vous de la journée et du déjeuner avec son imprésario. Elle savait bien que c'était un mensonge mais la tenue élégante et sophistiquée qu'elle avait choisie lui prêtait une assurance nouvelle. Quelle est la femme qui se sent vulnérable dans un ensemble de chez Saint Laurent ?

Elle portait une longue veste de soie blanche dont les manches, particulièrement souples et larges, donnaient un effet de cape. Le pantalon assorti était rehaussé par un chemisier couleur d'orchidée avec des volants autour du cou. Les chaussures ton sur ton, le chapeau à bord plat et les boucles d'oreilles raffinées complétaient le tout et lui donnaient l'assurance d'être invincible. Tu en as fait du chemin, pensa-t-elle en se regardant longuement dans la glace de sa chambre.

A présent, dans l'élégant salon d'essayage du couturier Wayne Metcalf, les mêmes pensées tournèrent dans sa tête. Wayne et elle avaient commencé ensemble leur ascension vers le succès. Tina, en gagnant péniblement sa vie dans les discothèques bondées et les bars enfumés ;

Wayne, comme garçon de restaurant tout en dessinant des croquis et des esquisses que personne ne regardait jamais. Mais Tina, elle, les avait regardés et s'en était souvenue.

Wayne commençait enfin à placer ses modèles quand Tina entreprit sa première tournée de concerts. La première décision réellement professionnelle qu'elle prit seule fut de choisir Wayne comme couturier. Elle ne l'avait jamais regretté. Autant que Julie, il connaissait suffisamment la vie personnelle de Tina pour demeurer un ami loyal, irréversiblement dévoué.

Elle erra un peu dans la pièce, songeant que la décoration y était infiniment plus luxueuse que celle des premiers petits ateliers dans lesquels Wayne travaillait autrefois. Il n'y avait pas à l'époque de tapis persan sur le sol, ni de lithographies de renom sur les murs laqués ou de vue panoramique sur Beverly Hills.

Il s'agissait en ce temps-là d'un petit réduit sans air, juste au-dessus d'un restaurant grec. Tina se souvenait encore des parfums étranges et lourds qui se faufilaient à travers les murs.

Après sa première tournée de concerts, la gloire n'était pas venue du jour au lendemain. Mais Tina était lancée. Cette première expérience du succès avait été si brusque, si intense qu'elle avait eu à peine le temps de la savourer vraiment : tournées, répétitions, chambres d'hôtels, interviews. Sans parler de la foule de ses fans ni des incroyables sommes d'argent qui, soudain, pleuvaient sur elle. Au début, bien sûr, Tina avait adoré la nouveauté, même si les voyages incessants la laissaient parfois faible et désorientée. Même aussi lorsque ces fans devenaient aussi menaçants dans leur délire qu'ils pouvaient être merveilleux. Oui, Tina avait adoré cela.

Quant à Wayne, il avait été aussitôt submergé de commandes à la fin de cette première tournée de concerts. Il quitta vite la petite pièce au-dessus du restaurant où l'on servait la *moussaka* et le *souvlaki*. Couturier officiel de Tina depuis six ans, il disposait à présent de toute une équipe à ses ordres ainsi que d'un immense atelier.

En l'attendant, Tina s'approcha du bar et se servit un rafraîchissement sans alcool. Tout au long des déjeuners raffinés, des cocktails élégants et des interminables séances d'enregistrement, elle n'avait jamais bu autre chose qu'un soda frais de temps à autre. De ce côté-là au moins, pensa-t-elle, elle contrôlait bien sa vie.

Mais le passé ne disparaîtrait jamais vraiment. Du moins pas tant qu'elle aurait encore à se préoccuper de sa mère. Tina ferma les yeux et souhaita chasser aussitôt ces pensées. En vain. Depuis combien de temps avait-elle vécu avec cette angoisse constante? Elle ne se souvenait même pas d'avoir vécu une seule journée sans elle.

Elle était encore une toute petite fille lorsqu'elle avait découvert que sa mère n'était pas comme les autres. Même enfant, elle détestait déjà le parfum douceâtre et obsédant de l'alcool dans l'haleine de sa mère. Elle redoutait ce visage empourpré, ces paroles embrouillées, d'abord affectueuses, puis violentes et désordonnées, tandis que les voisins et les amis la regardaient d'un air apitoyé.

Tina pressa ses doigts sur son front. Tant d'années. Tant de gâchis. Et maintenant, sa mère avait disparu à nouveau. Où pouvait-elle être?

Dans quelle sordide chambre d'hôtel se cachait-elle pour boire ce qui lui restait de vie?

Des images terribles, des scènes effrayantes affluaient maintenant à la frange de sa mémoire.

C'est ma vie, se répétait Tina. C'est ma vie! Je dois la vivre comme elle est. Mais le goût amer du chagrin et un étrange sentiment de culpabilité lui serraient la gorge.

Elle sursauta quand la porte s'ouvrit toute grande pour livrer passage à Wayne.

Admiratif, il l'observa dès le seuil.

– Tu es splendide! Tant d'élégance pour moi tout seul?

Elle fit un petit bruit qui tenait à la fois du rire et du sanglot tandis qu'elle traversait la pièce pour l'embrasser.

– Bien sûr, répondit-elle. Comment vas-tu?

– Si vraiment tu t'es habillée pour moi, tu aurais pu au moins porter quelque chose que j'ai dessiné, répondit-il, l'air faussement maussade.

Il l'embrassa malgré tout. Wayne était si grand qu'il dut se pencher pour déposer son baiser sur la joue de Tina. Âgé d'à peine trente ans, il avait un visage à la fois classique et attirant avec ses yeux et ses cheveux d'une chaude teinte brune. Sur son sourcil gauche, une petite cicatrice blanche lui donnait – c'était du moins ce qu'il aimait à penser – un air un peu canaille.

– Jaloux?

Tina eut un large sourire et recula d'un pas.

– Je te croyais raisonnable, pourtant.

– On n'est jamais assez raisonnable, tu sais...

Il lâcha ses mains et se dirigea vers le bar.

– Bon. Retire ton chapeau et ta veste pour commencer.

Docile, Tina obéit et les jeta de côté avec une telle désinvolture que Wayne tiqua malgré lui. Il la regarda longuement et se versa un Perrier tandis que, souriante, la jeune femme esquissait un pas de mannequin.

— Comment me trouves-tu?

— J'aurais dû te séduire quand tu n'avais encore que dix-huit ans.

Il soupira et but une gorgée d'eau pétillante.

— Je n'aurais pas été alors constamment bourrelé de remords pour t'avoir laissée m'échapper.

Elle revint vers le bar.

— Tu avais ta chance, mon ami.

— Peut-être mais, à cette époque, j'étais surmené par trop de choses à la fois.

Il souleva son sourcil barré d'une cicatrice d'une façon qui avait toujours amusé Tina. Elle fit tinter son verre contre le sien.

— Trop tard. Et puis, de toute façon, tu es déjà assez occupé avec tous tes ravissants mannequins.

— Je n'ai de rendez-vous avec ces filles squelettiques que pour la publicité.

Il prit une cigarette et l'alluma avec élégance.

— Au fond, tu sais, je mène plutôt une vie retirée.

— J'ai une repartie magnifique toute prête mais je préfère la garder pour moi...

— Tu fais bien.

Il laissa échapper de délicats ronds de fumée.

— Il paraît que Brian Carstairs est en ville?

Le sourire de Tina disparut pour revenir aussitôt.

– Tu sais qu'il aime faire parler de lui, répondit-elle.

– Est-ce que tu te sens bien?

Elle haussa les épaules.

– Il y a une minute, je me sentais dans une forme magnifique. As-tu vraiment besoin de me poser pareille question?

Wayne posa une main sur la sienne.

– Tina. Quand il est parti, tu t'es effondrée. J'étais là. Tu te souviens?

– Bien sûr que je me souviens.

Il n'y avait plus une once de malice dans sa voix.

– Tu as été très bon pour moi, Wayne. Je ne sais pas ce que je serais devenue sans toi et Julie.

– Ce n'est pas ce que je voulais dire, Tina. Je veux simplement savoir comment tu vas maintenant.

Il retourna la main de Tina et mêla ses doigts aux siens.

– Je te renouvelle mon offre d'aller casser la figure de ce type, si tu veux.

Touchée et amusée à la fois, Tina se mit à rire.

– Je suis persuadée que tu es une vraie terreur, Wayne, mais ce ne sera pas nécessaire. Cette fois, je ne m'effondrerai pas.

– Est-ce que tu l'aimes toujours?

Tina ne s'attendait pas à une attaque aussi directe et baissa les yeux.

– Peut-être vaudrait-il mieux poser la question autrement? L'ai-je jamais vraiment aimé?

Wayne rétorqua aussitôt :

– Nous connaissons tous deux parfaitement la réponse.

Il lui reprit la main.

– Nous sommes amis depuis longtemps. Ce qui t'arrive compte aussi pour moi.

Elle plongea ses yeux dans les siens et sourit.

– Rien ne va m'arriver. Absolument rien. Brian, c'est le passé. Allez, viens. Montre-moi un peu ce que tu as créé pour que je sois sensationnelle...

Wayne eut un dernier et fugitif regard vers Tina puis il se dirigea vers un bureau en verre et pressa le bouton de l'interphone.

– Veuillez apporter les modèles de Mlle Williams, je vous prie.

Tina, bien sûr, avait déjà contemplé et admiré les dessins et les tissus mais, chaque fois, l'œuvre achevée était encore une surprise. Il s'agissait essentiellement de modèles créés pour la scène et pour que la jeune chanteuse étincelle sous les feux de la rampe. Malgré tout, cela paraissait un peu étrange, aujourd'hui, de porter ces tenues d'un rouge sang et ces paillettes. Les miroirs de l'élégant salon d'essayage reflétaient partout l'image de Tina. Au fond, pensa-t-elle, mon métier aussi est un métier à part.

Elle étudia son reflet dans la glace et n'écouta qu'à moitié Wayne marmonner entre ses dents tandis qu'il ajustait par-ci, reprenait par-là. Les pensées de la jeune femme erraient à nouveau. Tout au long de ces dernières années, la petite favorite de la musique folk s'était transformée en une véritable professionnelle qui travaillait dur pour mériter son succès. Quoi qu'il pût arriver dans sa vie personnelle, songea-t-elle, voilà la seule chose qui comptât vraiment : sa carrière. C'était sa vie.

A présent, Tina se glissait dans une tunique d'un noir brillant qui lui collait au corps comme une seconde peau. Rien qu'en respirant, sa silhouette lançait une myriade d'éclairs et la lumière ruisselait au moindre mouvement. Après un long examen critique, elle estima qu'il s'agissait là d'une toilette follement sexy.

— Je ferais mieux de ne pas prendre un gramme avant la tournée, remarqua-t-elle en se tournant légèrement pour se voir de profil. Wayne...

Agenouillé à ses pieds, il travaillait à l'ourlet et répondit par un grognement.

— Wayne... Je me demande si j'aurai vraiment le cran de porter ça.

Il se releva et retoucha un pli à l'épaule.

— Ça... comme tu dis, c'est une robe fantastique.

Elle lui sourit tandis qu'il reculait d'un pas pour la contempler d'un air concentré.

— Ce n'est pas que j'aie envie de jouer les stars capricieuses... Mais c'est un peu...

Elle se regarda dans la glace et acheva :

— ... audacieux, tu ne trouves pas?

Wayne tournait autour d'elle pour examiner son œuvre.

— Tina, tu as un corps ravissant. Je n'ai pas beaucoup de clientes qui pourraient porter cette robe sans une retouche ici ou là pour dissimuler un défaut. Bon, retire-la. C'est parfait ainsi.

— Chaque fois que je termine une séance d'essayage, j'ai l'impression d'être chez le médecin, observa Tina.

Elle enfila son ensemble blanc et sa blouse orchidée en poursuivant :

– Qui sait mieux qu'un couturier les moindres petits secrets du corps d'une femme?

– Qui sait mieux que moi *tous* tes secrets, ma chérie? corrigea Wayne, l'air absent.

Il griffonnait quelques notes qu'il accrochait ensuite à chaque toilette de scène.

– Les femmes ont tendance à devenir bavardes quand elles sont à demi dévêtues.

Tina s'approcha de lui et s'appuya amicalement contre son épaule.

– Allez, je t'en prie, fais-moi donc profiter d'une ou deux confidences. Raconte-moi quelque chose de merveilleusement indiscret et de terriblement choquant. S'il te plaît...

– Babs Curtain a un nouvel amant, murmura-t-il tout en poursuivant ses notes.

Tina prit un air faussement tragique.

– C'est effroyablement choquant. Et si imprévisible...

– Peut-être, mais j'ai juré sur l'honneur de ma profession de ne jamais trahir un secret.

Tina attrapa son manteau et son chapeau.

– Tu me déçois beaucoup. J'étais certaine que tu avais des pieds d'argile...

– Lauren Chase vient de décrocher le premier rôle pour la comédie musicale *Fantasy*.

La jeune femme s'arrêta net sur le chemin de la porte et se retourna brusquement.

– Quoi?

Elle traversa la pièce en courant et arracha le carnet de notes des mains de Wayne.

– Je savais que la nouvelle t'intéresserait, remarqua-t-il froidement.

Mais elle l'interrompit aussitôt :

– Oh! Wayne... Je donnerais plusieurs années de ma vie pour avoir la chance d'écrire la parti-

tion de cette comédie musicale. Lauren Chase...
Oui, c'est une bonne chanteuse. Mais qui a signé
la musique, Wayne?

Elle le saisit par l'épaule et ferma les yeux.

— Dis-le-moi. Je t'en prie... Je me sens de taille
à supporter le choc.

— Lauren ne le sait pas. Tina, tu sais que tu me
fais mal?

Il dégagea la main de la jeune femme.

— Elle ne le sait pas, répéta-t-elle avec colère.
C'est bien pire, mille fois pire de ne rien savoir.
Je parie qu'il s'agit encore de quelque anonyme
tâcheron qui n'est même pas capable de comprendre le génie du scénario. En ce moment,
tiens, il doit être assis devant son piano en train
de composer des airs plus que médiocres.

Elle enfonça son chapeau sur sa tête avec tant
de distraction que Wayne jura entre ses dents et
l'ajusta lui-même.

— Il y a aussi la possibilité que cet anonyme
tâcheron, comme tu dis, soit un musicien de
talent, suggéra-t-il doucement.

Cela lui valut un regard glacial.

— De quel côté es-tu?

Il lui adressa son plus radieux sourire, l'attrapa
par les épaules et l'embrassa joyeusement.

— Allez, retourne chez toi et plonge-toi dans ta
musique. Tu te sentiras mieux.

Elle se força à conserver l'air sévère.

— Puisque c'est ainsi, menaça-t-elle, je cours
m'acheter une robe chez Florence De Mille, ta
pire rivale.

Wayne poussa un soupir.

— Je te pardonnerai, va. Car, tu sais, j'ai peut-
être des pieds d'argile... mais j'ai aussi un cœur
d'or.

Quand Tina revint chez elle, la maison était silencieuse. Des effluves d'essence de pin et de citron flottaient dans l'air et signalaient que l'on venait de faire le ménage. Comme elle en avait l'habitude, Tina jeta un coup d'œil dans son salon de musique et fut satisfaite de constater que rien n'avait été dérangé. Elle aimait son désordre et ne voulait pas qu'on y touche. Poussée par la vague idée de se préparer un café, elle se dirigea vers la cuisine.

En chemin, elle prit une rose dans un vase de Chine et se mit à chanter en esquissant un pas de danse. Elle aimait sa maison avec ses innombrables et vastes pièces et son confort calme et clair. L'antithèse des espaces réduits et confinés dans lesquels elle avait grandi.

En passant devant la porte ouverte de la bibliothèque, elle vit se balancer le pied nu de Julie sur le bureau et s'arrêta. La blonde jeune femme était au téléphone mais elle invita Tina à entrer en esquissant un geste silencieux.

– Je suis vraiment désolée, monsieur Cummings, mais les participations publicitaires de Mlle Williams sont strictement réglementées. Oui... je suis convaincue que votre produit est excellent mais...

Elle leva les yeux au ciel puis rencontra le regard amusé de Tina.

– Bien sûr... J'en parlerai à Mlle Williams. Mais je préfère vous avertir : Mlle Williams est très stricte sur ce plan et respecte ses exclusivités.

Avec un dernier regard exaspéré au plafond, Julie raccrocha et contempla Tina, confortablement installée dans un profond fauteuil en cuir.

– Si tu n'insistais pas autant pour que je réponde aimablement à tout le monde, il y aurait longtemps que j'aurais envoyé promener ce type-là.

Tina respira une nouvelle fois le parfum de la rose et demanda :

– Pourquoi... Il t'ennuyait ?

– Veux-tu que je lui dise que tu acceptes de faire de la publicité pour son shampooing moussant ?

– Pitié...

Elle quitta ses escarpins et observa Julie qui s'étirait.

– Tu as l'air fatigué... Il y a eu du travail ?

– Oh ! Des détails empoisonnants de dernière minute au sujet de la tournée.

Julie haussa les épaules pour chasser ces pensées désagréables.

– Au fait... les séances d'enregistrement sont finies ?

– Oui.

Tina respira profondément et tourna la rose entre ses doigts.

– Tout s'est très bien passé, poursuivit-elle. Il y avait longtemps que je n'avais pas été aussi heureuse dans un studio. Quelque chose de particulier s'est déclenché...

Julie songea aux longues nuits blanches que Tina avait passées à écrire et arranger la musique.

– Tu as assez travaillé pour cela.

– Il y a des moments où je ne parviens pas encore à y croire. J'ai eu tellement de chance.

– Non, corrigea Julie. Du talent.

– Beaucoup de gens ont du talent, rappela Tina. Mais ils ne sont pas ici, assis dans un salon luxueux, comme moi aujourd'hui. Ils sont encore dans quelque bar enfumé et anonyme, à attendre un signe de la Providence. Sans elle, ils ne pourront jamais s'en sortir.

– Il n'y a pas que la chance. Le travail, la persévérance sont tout aussi essentiels, répondit Julie.

Le manque de confiance que Tina professait à l'égard d'elle-même exaspérait Julie. Elle se sentait pourtant très bien placée, depuis le temps qu'elle suivait la carrière de Tina, pour connaître les luttes secrètes, les angoisses et l'insécurité qui se cachaient derrière la gloire.

Le téléphone interrompit ses pensées.

– C'est ta ligne privée. Allô?

Tina se crispa, mais le sourire de Julie la rassura.

– Bonjour, Henderson. Oui, oui, elle est là. Ne quittez pas.

Elle tendit le combiné à Tina.

– Ton distingué imprésario te demande.

On sonna à la porte à cet instant précis et Julie se leva tandis que Tina s'installait au téléphone.

– C'est sûrement Brian. Dis-lui que je viens dans une minute.

– Bien sûr.

Julie s'éloigna et la voix de Tina lui parvint encore à travers le couloir.

– Où ça? Dans votre bureau? Henderson, je me demande encore pourquoi je m'obstine à emporter un sac avec moi...

Julie sourit. Tina oubliait ses affaires partout: son sac, son passeport, ses chaussures. Son esprit était bien trop occupé par la musique et par tout un flux d'émotions pour que l'aspect matériel de la vie comptât vraiment.

– Bonjour, Brian.

Elle referma la porte d'entrée derrière lui.

– Cela me fait plaisir de te revoir.

L'expression glacée de la jeune femme démentait ces paroles.

– Bonjour, Julie.

La voix de Brian était sincèrement chaleureuse mais elle fit mine de ne pas s'en apercevoir.

– Entre. Tina sera là dans un instant.

– Je suis heureux de revenir ici. Cette maison m'a manqué.

– Vraiment ?

La voix de Julie était coupante comme une lame.

Brian l'observa. Cette longue jeune femme aux cheveux blonds et au regard brun avait à peu près son âge et appartenait à cette catégorie de femmes qui l'attirait toujours : racée, élégante, à la fois sensuelle et glaciale. Mais le dévouement extrême que Julie manifestait à l'égard de Tina les empêcherait toujours d'éprouver l'un pour l'autre autre chose que de l'amitié. Brian constata une nouvelle fois que la loyauté de Julie n'avait pas changé.

– Cinq années, c'est long, Julie.

Elle répliqua aussitôt :

– Peut-être pas assez.

Tous les ressentiments qu'elle éprouvait à l'égard de Brian à cause de Tina refaisaient surface.

– Tu lui as fait du mal.

– Oui, je sais.

Il soutint le regard de la jeune femme sans

paraître s'attendre à de la compréhension. Elle admira sa fermeté mais dissimula ses pensées.

– Ainsi, te voilà de retour.

Il lui sourit.

– Tu n'y croyais pas?

– Tina n'y croyait pas, elle. Et c'est la seule chose qui compte.

La voix de la vedette, justement, résonna à travers le hall.

– Julie, Henderson va me faire porter mon sac ici. Je lui ai dit de ne pas s'inquiéter. Il ne doit pas y avoir autre chose à l'intérieur qu'un peigne et une carte de crédit périmée. Bonjour, Brian.

Elle lui tendit ses mains comme elle l'avait fait au studio. Cette fois, elle se sentait mieux préparée à la rencontre.

Brian l'observa. Elle ne s'était même pas préoccupée de remettre ses chaussures ou de retoucher son rouge à lèvres.

– Tina.

Il porta sa main à ses lèvres et la sentit aussitôt se raidir.

– Pouvons-nous discuter un instant dans le salon de musique? Je me suis toujours senti bien dans cette pièce.

– Bien sûr. Tu désires boire quelque chose?

Brian adressa un sourire charmeur à Julie.

– J'adorerais une tasse de thé. Julie sait si bien le préparer.

Sans lui retourner son sourire, Julie acquiesça et se dirigea vers la cuisine tandis que Brian suivait Tina dans le salon de musique.

Parvenu au milieu de la pièce, il s'arrêta et contempla longuement les moindres détails qui l'entouraient. Elle se souvint de cette habitude qu'il avait d'observer intensément chaque endroit où il se trouvait, chaque personne qu'il rencontrait. Cette attention extrême semblait contredite par l'allure dégagée qu'il arborait mais il fallait sans doute voir là le secret de sa réussite. Depuis l'époque où il n'était qu'un adolescent des rues de Londres, il avait dû apprendre à se battre durement pour se frayer son chemin vers la gloire. Et son don naturel pour l'observation l'y avait grandement aidé. Il voyait tout, retenait tout. Puis il traduisait ses souvenirs et ses sentiments en musique.

Ses doigts caressèrent presque distraitement l'épaule de Tina et une foule de souvenirs envahit la mémoire de la jeune femme. Elle aurait voulu s'éloigner de lui pour échapper à sa séduction mais déjà, laissant retomber sa main, Brian chercha son regard.

– Je me souviens de chaque détail de cette pièce. Quand je ne pouvais pas m'empêcher de penser à toi, je me les imaginais un par un.

Il leva la main pour lui caresser la joue et elle recula d'un pas.

– Ne fais pas cela.

– Pardonne-moi, Tina, mais c'est difficile de ne pas avoir envie de te toucher. Surtout ici. Tu te souviens encore des longues nuits passées ensemble dans ce salon? Et des après-midi?

De nouveau, elle se troubla.

– Oui. Mais c'était il y a longtemps, Brian. Si j'avais su que tu étais revenu pour évoquer les vieux souvenirs, je ne t'aurais pas laissé entrer ici. Tout est fini. Et depuis longtemps.

– Vraiment?

Elle ne s'était pas aperçue qu'il était si proche. D'un seul geste, il la fit pivoter et la serra contre lui.

– Montre-moi que tu m'as oublié, alors.

Dès que ses lèvres rencontrèrent celles de Tina, elle se sentit projetée dans le passé. Tout était là, encore : la chaleur de son étreinte, le désir, l'amour. Ses lèvres étaient si douces, si tendres. Elle connaissait à l'avance le parfum de son baiser et s'étonna d'avoir conservé des souvenirs aussi précis. Non, elle n'avait rien oublié.

Il fit glisser ses doigts dans la longue chevelure de la jeune femme et lui renversa la tête en arrière tandis que son baiser devenait plus ardent. Il y avait quelque chose de paisiblement obstiné dans la façon qu'il avait d'explorer chaque millimètre de sa bouche. Les souvenirs, trop violents, eurent raison de la résistance de Tina et elle s'abandonna au désir qui la submergeait. Pourtant, brusquement, elle se raidit et chercha à refouler la passion qui courait dans ses veines. Brian relâcha son étreinte et elle leva les yeux vers lui. Il connaissait ce regard sans être jamais, toutefois, parvenu à en déchiffrer véritablement le sens.

– Eh bien, murmura-t-il. Je ne crois pas que tu aies oublié, finalement.

Furieuse, ébranlée, désorientée, Tina le repoussa.

– Tu n'as jamais su respecter les règles du jeu, n'est-ce pas, Brian ? Alors laisse-moi te dire quelque chose. Cette fois, je ne tomberai plus à tes pieds. Tu m'as fait du mal autrefois mais, aujourd'hui, je ne suis plus aussi vulnérable et je n'ai aucune place pour toi dans ma nouvelle vie.

– Je n'en suis pas si sûr, répondit-il avec calme. Ce ne sera peut-être pas la même, voilà tout.

Il observa un court silence et se mit à lui caresser les cheveux.

– Si tu veux vraiment que je ne sois pas sincère avec toi, Tina, je peux m'excuser de t'avoir embrassée, si tu le désires.

– Il ne s'agit pas de cela. Tu as toujours su jouer les séducteurs... Et, d'ailleurs, ce n'était pas si désagréable...

Elle s'assit sur le divan et lui adressa son sourire le plus radieux. Désorienté, perplexe, Brian la regarda. Il ne s'attendait pas à cette réaction et alluma une cigarette.

– Finalement, je te l'accorde : tu as changé durant mon absence.

– Devenir une adulte a aussi des avantages, rétorqua-t-elle.

– Peut-être mais j'ai toujours trouvé ta naïveté charmante.

Elle s'appuya confortablement contre les coussins et chercha à se détendre. Le baiser de Brian l'avait émue bien plus qu'elle ne consentait à le montrer.

– Dans mon métier, il serait dangereux de rester naïf. Même si c'est charmant.

– Alors, te voici devenue froide et dure ?

– Assez dure, en effet, admit-elle. Et c'est toi qui m'as donné ma première leçon.

Il aspira une longue bouffée de sa cigarette.

– Peut-être, murmura-t-il. Peut-être que tu en avais besoin.

– Tu voudrais sans doute que je te remercie ?

– Je ne sais pas...

Il se laissa tomber à côté d'elle sur le sofa et, brusquement, éclata de rire.

– Bon sang, Tina, tu n'as toujours pas fait réparer ce maudit ressort !

La tension disparut brusquement et elle éclata de rire à son tour en repoussant ses cheveux derrière ses épaules.

– Je trouve ce ressort parfait. C'est beaucoup plus original.

– Pour ne pas dire inconfortable.

– Tu sais, je ne m'assieds jamais de ce côté-là.

– J'ai compris : tu réserves ce privilège à tes innocents invités.

Il changea de place. Ce fut à ce moment précis que Julie entra, portant le plateau de thé. Elle les trouva l'un près de l'autre comme deux vieux camarades. Son regard expert ne discerna aucune trace de nervosité sur le visage de son amie et elle partit rassurée.

Tina commença de servir le thé et demanda :

– Raconte-moi un peu ce que tu deviens, Brian. Je suppose que tu dois être très occupé.

Avec une énergie presque sauvage, il écrasa sa cigarette dans le cendrier.

– Très occupé, en effet.

Il lui raconta l'enregistrement de ses cinq albums et ses tournées de concerts. A présent, Brian avait à son actif plus de vingt succès.

– Tu vis à Londres ?

– La plupart du temps.

Elle remarqua son air surpris et expliqua :

– Tu sais, je lis les journaux comme tout le monde.

Il but une gorgée de thé et s'appuya contre le dossier du canapé. En le regardant, Tina remarqua que ses yeux étaient à cet instant plus verts que bleus.

– J'ai vu ton show spécial à la télévision, le

mois dernier, dit-il. Je t'ai trouvée merveilleuse.

– A Londres ?

Elle fronça les sourcils.

– Je ne savais pas que l'émission avait été diffusée là-bas.

– Je l'ai vue à New York. Est-ce toi qui as signé toutes les chansons de ton dernier album ?

– Toutes, sauf deux.

Elle prit sa tasse de thé et poursuivit :

– Marc a écrit *Maintenant* et *Retour*. Il a vraiment du talent.

– C'est vrai, renchérit calmement Brian. Et, en dehors du talent, a-t-il aussi le privilège de te posséder ?

Furieuse, elle l'affronta du regard.

– Tu ne crois pas que ta question est un peu déplacée ?

– Je lis les journaux, moi aussi. Je suppose que tu trouves que je me mêle de ce qui ne me regarde pas ?

– Tu as toujours compris très vite, Brian.

Il reposa sa tasse.

– Merci du compliment, mon cœur. Mais ma question était toute professionnelle. J'ai besoin de savoir si tu as des attaches particulières en ce moment.

– C'est un aspect de mon existence strictement privé. Parlons d'autre chose, si tu veux bien.

– Peut-être plus tard. Ecoute, j'ai besoin de ton entière disponibilité pour les trois prochains mois.

Il lui souriait si irrésistiblement que Tina lutta pour ne pas se laisser vaincre par son charme.

– Voilà qui est plutôt direct, observa-t-elle.

– Il ne s'agit pas d'une proposition malhonnête.

Il s'installa confortablement contre les coussins et la dévisagea.

– C'est moi qui écris la musique de *Fantasy*. J'ai besoin d'une partenaire...

Chapitre 3

Tina demeura pétrifiée, les yeux grands ouverts. Parler de surprise, en ce qui la concernait, aurait été plutôt faible. Elle ne bougeait pas d'un pouce, les mains sur ses genoux et le regard fixé sur Brian. Il pensa en l'observant que ses yeux avaient la couleur d'une fumée grise. Pendant ce temps, les pensées les plus folles tourbillonnaient dans la tête de Tina tandis qu'elle s'efforçait de recouvrer son calme.

Fantasy. Le roman qui avait captivé l'Amérique. Un best-seller qui, depuis plus d'un an, avait battu tous les records des ventes en librairie. On s'était disputé les droits de l'adaptation cinématographique et, finalement, c'était Carol Mason, l'auteur du livre, qui avait écrit le scénario du film. Ce serait une comédie musicale, la plus célèbre des années quatre-vingt. Pendant des mois, les spéculations étaient allées bon train d'un bout à l'autre des Etats-Unis pour deviner qui allait signer la composition musicale. Pour l'heureux élu, ce serait la plus grande chance de sa vie, le succès de toute une décennie. Le sujet était merveilleux et l'interprète principale, Lauren Chase, l'une des plus célèbres chanteuses américaines. Quant à la musique... Tina avait

43

depuis longtemps composé dans sa tête des mélodies pour le film...

Sans un mot, elle se versa précautionneusement une autre tasse de thé en essayant de se convaincre qu'une chance pareille ne pouvait pas survenir aussi soudainement. Brian pensait peut-être à une participation tout à fait différente de ce qu'elle imaginait.

– Ainsi, c'est toi qui vas écrire la musique de *Fantasy*, se risqua-t-elle à dire finalement.

Elle chercha prudemment le regard de Brian : il était clair, assuré, légèrement amusé, même.

– J'ai entendu dire, poursuivit-elle, que Lauren Chase était pressentie pour le premier rôle. Partout où je vais, j'entends les gens se demander qui jouera les rôles de Tessa et de Joe.

– C'est bien Lauren qui interprétera Tessa, répondit Brian. Et Joe sera joué par Jack Ladd.

Dans les yeux de Tina, l'inquiétude et la surprise firent place à un pur plaisir.

– C'est magnifique!

Elle lui prit la main.

– Tu vas connaître un fabuleux succès. J'en suis vraiment heureuse pour toi.

Et c'était absolument vrai. Rien qu'à la regarder et à l'entendre, Brian percevait la plus totale sincérité chez Tina. C'était d'ailleurs tout à fait typique de son caractère de partager intensément les bonnes ou mauvaises fortunes qui survenaient aux autres. Elle savait faire preuve d'une extrême profondeur de sentiments et ne cherchait jamais à dissimuler ses émotions. Cette absence d'affectation constituait une part essentielle de son charme et, pour l'instant, la jeune femme avait complètement oublié de se montrer réservée avec Brian. Au contraire, elle lui sourit et étreignit ses mains.

– Voilà donc pourquoi tu es en Californie. As-tu déjà commencé à travailler?

– Non.

Ses doigts toujours mêlés à ceux de Tina, Brian parut réfléchir quelques instants. Il dit finalement :

– Tina, ce que j'ai dit tout à l'heure... c'est vrai. J'ai besoin d'une partenaire. J'ai besoin de toi.

Les mains de Tina étaient fines et douces dans les siennes. Elle essaya doucement de se libérer mais il resserra son étreinte.

La voix faussement légère, elle lança :

– Je n'ai jamais entendu dire que tu aies eu vraiment besoin de quelqu'un dans ta vie, Brian. Et encore moins de moi.

Il serra encore plus fort ses doigts et les yeux de Tina s'élargirent un peu sous la douleur. Aussitôt, il la libéra.

– Il s'agit d'affaires, Tina.

La voix de Brian était ferme.

– Dans ce cas, observa-t-elle, les négociations doivent passer d'abord par mon imprésario. Tu te souviens de Henderson?

Il la contempla longuement, tranquillement.

– Je me souviens de tout, Tina.

Aussitôt, il nota qu'une mélancolie fugitive traversait les yeux de la jeune femme et reprit, la voix douce :

– Pardonne-moi.

Elle haussa les épaules et reporta son attention sur sa tasse de thé.

– Tout cela, c'est du passé, Brian. En attendant, si cette proposition de collaboration était réellement officielle, Henderson l'aurait su.

– Mais il le sait. Seulement je lui ai demandé l'autorisation d'être le premier à t'annoncer la nouvelle.

– C'est vrai? Mais pourquoi?

– Parce que je me suis dit que, si tu apprenais qu'il s'agissait de travailler avec moi, tu refuserais d'emblée.

Elle acquiesça.

– Tu avais raison.

Mais Brian poursuivait, imperturbable :

– Et tu aurais fait la plus grande erreur de ta vie. Henderson, d'ailleurs, est tout à fait d'accord avec moi.

Furieuse, Tina se leva d'un bond.

– Alors, c'est ainsi que les choses se sont passées? Je trouve extraordinaire cette façon de décider les choses à ma place. Pensez-vous tous les deux que je ne suis pas assez intelligente pour prendre des décisions seule?

– Il ne s'agit pas de cela!

Il l'avait interrompue froidement.

– Henderson et moi pensons simplement que, livrée à toi-même, tu as une fâcheuse tendance à te laisser emporter par tes émotions.

– Magnifique. A vous entendre, je ne suis qu'une enfant. N'oubliez pas mes jouets pour Noël.

– Ne fais pas l'idiote.

– Et, en plus, je suis une idiote.

Elle se détourna pour arpenter la pièce d'un pas vif. Brian pensa en la regardant qu'elle avait conservé ce caractère vif qu'il lui avait toujours connu. Elle était un mélange d'énergie et de mouvement.

– Je me demande vraiment comment j'ai pu

vivre si longtemps sans la saveur de tes compliments, Brian.

Elle lui fit face et poursuivit :

– Si c'est ce que tu penses de moi, pourquoi, grands dieux, as-tu besoin d'une idiote pour cosigner ta musique ?

Il se leva à son tour.

– Parce que, rétorqua-t-il, tu es une satanée bonne musicienne. Maintenant, tais-toi.

– A tes ordres. Tu as une façon si gentille de me le demander.

Elle s'appuya contre le piano et le regarda prendre une cigarette. Il laissa échapper de longues volutes de fumée et dit enfin :

– Ce projet est très important, Tina. Ne le gâchons pas. C'est parce que nous avons été autrefois si proches l'un de l'autre que j'ai tenu à te parler le premier, seul à seul. Est-ce que tu peux le comprendre ?

Elle laissa un long moment s'écouler avant de répondre.

– Peut-être.

Brian sourit et s'approcha d'elle.

– J'aimerais encore ajouter le mot « obstinée » aux adjectifs te concernant mais, je t'en prie, ne te mets plus en colère.

Tina étudia son visage.

– Laisse-moi d'abord te demander quelque chose : pourquoi, au nom du ciel, as-tu besoin d'une partenaire pour écrire cette musique ? Pourquoi partager ton succès ?

– C'est aussi une question de travail, mon cœur. Il y a quinze chansons à écrire.

Elle hocha la tête.

– Je comprends. Deuxième question : pourquoi

moi, Brian? Pourquoi pas, plutôt, un compositeur habitué à écrire des comédies musicales?

En guise de réponse, il passa devant elle et se mit au piano. Sans un mot, il commença à jouer et les notes flottèrent dans la pièce, tels des fantômes. Il chercha le regard de Tina.

— Tu te souviens de cet air?

Elle n'avait pas besoin de répondre et s'éloigna du piano pour dissimuler son trouble. Brian jouait une chanson qu'ils avaient composée autrefois ensemble. Elle se souvenait encore des éclats de rire tandis qu'ils travaillaient, de la chaleur de son regard, de l'extraordinaire impression de sécurité qu'elle éprouvait dans ses bras. C'était la seule chanson qu'ils avaient jamais écrite et enregistrée ensemble.

La musique cessa mais Tina continuait d'errer dans la pièce.

— Qu'est-ce que *Nuages et Pluie* vient faire dans cette histoire? demanda-t-elle finalement.

Il la devinait violemment émue et éprouva presque du remords de l'avoir bouleversée à ce point.

— Rien qu'avec ces deux minutes quarante-trois secondes de chanson, nous avons gagné un disque d'or, Tina. Preuve que nous travaillons bien ensemble.

— C'était vrai autrefois.

— C'est toujours vrai.

Brian s'approcha d'elle.

— Tina, tu sais aussi bien que moi que ce projet est vital pour ta carrière. De plus, *Fantasy* nécessite la collaboration de ton talent.

C'était vrai. Elle désirait ce contrat de tout son être et ne parvenait pas encore à croire qu'un espoir aussi fou se réalisait soudain. Mais comment parvenir à travailler aux côtés de Brian, à le voir chaque jour? Serait-elle capable de le supporter? Devait-elle sacrifier l'équilibre de sa vie privée à sa profession? Elle se répéta qu'elle ne l'aimait plus et, dans son désarroi, se mordit les lèvres. Brian l'observait.

– Tina, pense à la musique.

– C'est ce que je fais. Mais je pense aussi à toi... à nous.

Presque candide, elle lui adressa un long regard.

– Je ne crois pas que ce serait bon pour moi, acheva-t-elle.

Brian se sentit embarrassé et répondit presque sèchement :

– Ecoute, je te promets de ne pas t'ennuyer. Mais je ne peux pas te jurer que je serai capable de ne pas te toucher. Voilà ce que je peux dire.

Elle éluda la question.

– Si je donne mon accord, quand commencerions-nous? J'ai une tournée à faire.

– Dans quinze jours, je sais. Elle se termine d'ici deux mois et nous pourrions alors commencer en mai.

Elle passa une main distraite dans ses cheveux.

– Je constate que tu as pensé à tout.

– Je te l'ai dit. Il s'agit d'affaires.

– Très bien, Brian. Où travaillerons-nous? Pas ici, en tout cas, ajouta-t-elle vivement.

Elle se sentit brusquement oppressée.

– Je ne pourrai pas travailler ici avec toi.

– Je comprends. J'ai trouvé un endroit qui ferait l'affaire.

Tina attendit patiemment la suite.

– C'est en Cornouailles.

Elle répéta, surprise :

– En Cornouailles? Mais pourquoi?

– Parce que c'est paisible et loin de tout. Et personne, y compris les journalistes, ne sait que j'ai un pied-à-terre là-bas. Tu sais très bien que la presse sera déchaînée quand elle apprendra que nous travaillons ensemble sur ce projet.

– Mais ne pourrions-nous pas, plutôt, louer quelque chose sur la côte?

Il se mit à rire et lui prit la main.

– Nous n'arriverions pas à trouver quelque chose de bien sur le plan acoustique. De plus, la Cornouailles est sublime au printemps. Viens-y avec moi, Tina.

Elle leva une main incertaine, incapable d'accepter ou de décliner l'offre. Il avait encore trop d'ascendant sur elle et il lui fallait au moins quelques jours pour réfléchir.

– Tina?

Elle se retourna. Julie l'appelait sur le seuil.

– Une communication pour toi.

Vaguement ennuyée, Tina fronça les sourcils.

– Est-ce qu'on ne peut pas attendre, Julie? Je...

– C'est sur ta ligne privée.

Brian sentit qu'elle se raidissait et chercha vainement son regard. Quand elle répondit, le calme affecté de sa voix ne parvenait pas à dissimuler un soupçon de tremblement.

– Je viens.

Elle avait brusquement changé. Brian la sentit soudain terriblement distante tandis qu'elle lui lançait, souriante, avant de quitter la pièce :

– Reprends du thé. J'en ai pour une minute.

Elle fut en réalité absente bien plus longtemps et Brian, nerveux, se mit à arpenter la pièce de long en large. Tina avait vraiment changé en cinq ans. Elle n'était plus la petite fille malléable qu'il avait connue et, à présent, il ne se sentait plus du tout sûr qu'elle accepterait de travailler avec lui. Il désirait pourtant intensément cette collaboration. Pour la musique, bien sûr, mais surtout pour lui. Lorsqu'il l'avait tenue à nouveau dans ses bras quelques instants plus tôt, il y avait eu plus que des souvenirs. Tina le fascinait aujourd'hui autant qu'hier. La même complicité les unissait depuis toujours et, pourtant, elle gardait farouchement secrète une part essentielle de sa vie qu'il ne parvenait pas à déchiffrer. Bien plus que le refus d'une relation physique, c'était ce mystère qui l'avait déjà tenu à l'écart cinq ans plus tôt. Et c'était ce même mystère qui continuait à le frustrer aujourd'hui.

Mais lui aussi avait vieilli. Il avait commis des erreurs avec Tina et entendait ne pas les répéter. Brian savait ce qu'il voulait et comment l'obtenir. Il retourna vers le piano jouer une nouvelle fois la chanson qu'ils avaient écrite ensemble. La voix de Tina, chaude, sensuelle, résonnait dans sa tête. La mélodie s'achevait presque lorsqu'il sentit à nouveau sa présence dans la pièce.

Elle se tenait sur le seuil. Brian remarqua la couleur extrêmement foncée de ses yeux. Il s'aperçut vite que l'effet provenait de l'intense pâleur de son visage. Etait-ce la chanson qui l'avait bouleversée à ce point? Il s'arrêta immédiatement de jouer et alla à sa rencontre.

– Tina...

Elle l'interrompit aussitôt.

– J'ai décidé d'accepter.

Il lui prit la main. Elle était glacée.

– Tant mieux. Est-ce que quelque chose ne va pas?

Elle se dégagea.

– Mais non. Tout va bien. Je suppose que Henderson me mettra au courant des détails.

Son attitude trop calme, trop lointaine, intrigua Brian.

– Je t'invite à dîner, Tina.

Il éprouvait soudain le désir fou de percer enfin son mystère.

– Je t'emmène au *Bistro*. Je sais que tu aimes ce restaurant.

– Pas ce soir, Brian. Je... je suis occupée.

Il insista.

– Alors demain.

Sur son visage passa une expression lasse.

– Oui, si tu veux. Demain.

Elle eut un pâle sourire.

– Pardonne-moi, Brian, mais j'aimerais être seule à présent. Je ne savais pas qu'il était si tard.

– Comme tu voudras.

Il se pencha vers elle et l'embrassa doucement. C'était un geste instinctif qui n'attendait pas de réponse. Il éprouvait le besoin de la rassurer, de la protéger.

– Demain, à sept heures. Je suis à l'hôtel *Bel-Air*.

Tina entendit la porte d'entrée claquer derrière lui. Les mains pressées sur ses tempes, elle laissa enfin le flot d'émotions l'envahir. Elle n'avait pas envie de pleurer mais une douleur sourde lui martelait la tête. Soudain, elle sentit la main de Julie se poser sur son épaule.

— Ils l'ont retrouvée, n'est-ce pas?

Tina eut un long soupir.

— Oui. Ils l'ont retrouvée.

Chapitre 4

Comme tous les hôpitaux, celui-là était blanc et propre. Malgré tout, l'immeuble n'était pas trop austère et un visiteur mal informé aurait pu le confondre avec un hôtel ultra-privé, niché au-dessus de la baie d'Ojai. C'était un complexe résidentiel élégant et raffiné dont les baies ouvraient sur un paysage splendide. Tina détestait cet endroit.

A l'intérieur, des moquettes profondes étouffaient le bruit des pas et l'on parlait à voix basse. Cette atmosphère feutrée, trop paisible, paraissait insupportable à Tina. Les membres du personnel ne portaient pas d'uniformes blancs et seuls des badges discrets permettaient de les identifier. Probablement le meilleur service d'encadrement médical que l'on pouvait trouver en Californie, la clinique *Fieldmore* comptait parmi les plus opérationnels centres de désintoxication de la côte Ouest. Tina s'était assurée soigneusement de ses mérites avant d'y faire entrer sa mère, cinq ans plus tôt.

Le bureau du Dr Justin Karter était élégamment habillé de bois et le soleil du matin, filtrant à travers une large baie vitrée, venait éclairer une extraordinaire collection de plantes vertes.

Tina frissonna. Elle avait toujours froid pendant ses visites à la clinique *Fieldmore*. Cela commençait dès qu'elle en franchissait le seuil et durait encore longtemps après qu'elle en était ressortie. Les bras serrés étroitement contre sa poitrine, elle se détourna de la fenêtre et entreprit de marcher de long en large dans le bureau. La porte s'ouvrit alors; elle tourna la tête.

Karter était un homme jeune, de petite taille, avec une courte barbe blonde et des joues roses. Son visage avait une expression sérieuse, encore accentuée par les lunettes cerclées d'écaille et quelques taches de rousseur. En d'autres circonstances, Tina aurait aimé ce visage et se serait même réjouie de le revoir.

Il lui prit la main en un geste à la fois rapide et courtoisement professionnel. Sous les doigts de Karter, la petite main de Tina était encore plus froide et plus fragile que d'habitude. Il remarqua qu'elle avait noué ses cheveux derrière sa nuque et portait un strict tailleur noir. La femme qui se tenait devant lui était l'antithèse de la vedette gaie et vibrante qu'il avait vue à la télévision quelques semaines plus tôt. Depuis toujours, il était un ardent admirateur de la chanteuse et aurait aimé lui demander de lui dédicacer quelques-uns de ses disques. Mais il savait que la situation les aurait tous deux embarrassés et ne l'avait jamais fait.

– Bonjour, docteur Karter.

Chaque fois qu'il l'entendait, il se demandait comment une femme tellement petite et frêle pouvait avoir une voix si puissamment chaude et vibrante.

– Asseyez-vous, mademoiselle Williams. Voulez-vous une tasse de café?

– Non, merci.

Elle avala péniblement sa salive. Sa gorge était toujours sèche quand elle parlait à Karter.

– Je voudrais d'abord voir ma mère.

– Il y a plusieurs choses dont j'aimerais discuter avec vous.

Il la regarda s'humecter les lèvres, signe révélateur de son extrême agitation.

– Pas avant de l'avoir revue.

– Comme vous voulez.

Il la prit par le bras et la conduisit le long du couloir feutré vers les ascenseurs.

– Mademoiselle Williams... commença-t-il.

Il aurait aimé l'appeler « Tina » mais la réserve de la jeune femme l'en empêchait. C'était sans doute, songea-t-il, parce qu'il connaissait son secret. Elle lui faisait confiance, bien sûr, mais ne pouvait se sentir totalement à l'aise avec lui.

– Oui, docteur?

Elle avait tourné vers lui un regard gris et inexpressif. Une seule fois, elle s'était laissée aller à exprimer son désespoir en sa présence et ne désirait plus que cela se renouvelle : la maladie de sa mère ne devait pas l'emporter sur sa maîtrise de soi. Tandis qu'ils attendaient l'ascenseur, Karter posa une main sur le bras de la jeune femme.

– Il est possible que vous soyez profondément choquée par l'état physique de votre mère.

– Je vous en prie, docteur...

La voix de Tina était lasse.

– Ne prenez pas tant d'inutiles précautions avec moi. Je sais parfaitement où vous l'avez trouvée et dans quel état. Vous la remettrez sur pied une nouvelle fois et, d'ici un mois ou deux, quand elle sortira, tout recommencera. C'est toujours la même histoire.

– Les alcooliques doivent mener un combat incessant.

Ses nerfs la lâchaient à nouveau. Du tac au tac, elle répliqua :

– Vous n'avez rien à m'apprendre sur les alcooliques. Et ne me faites pas de sermons sur les luttes qu'ils doivent endurer.

La migraine vrillait ses tempes et elle pressa ses doigts sur son front pour chasser la douleur. Plus calme, elle reprit :

– Je connais très bien leur problème. Contrairement à vous, je ne suis pas optimiste.

– Pourtant, vous réussissez toujours à la ramener ici, remarqua Karter avec douceur.

Les portes de l'ascenseur s'ouvrirent pour leur livrer passage.

– C'est ma mère, répondit Tina simplement.

A présent ils suivaient un long couloir percé, de chaque côté, d'une multitude de portes. Derrière chacune d'elles, il y avait quelqu'un... mais Tina refusa d'y penser. L'odeur d'antiseptique, encore plus forte ici, lui donna la nausée. Ils s'arrêtèrent enfin devant l'une des chambres et Karter tendit une main pour saisir la poignée. Tina interrompit son geste.

– Je désire la voir seule. Je vous en prie.

Il la sentit se raidir tandis qu'un éclair de panique traversait son regard. Posée sur la sienne, la main de Tina était glacée.

– Comme vous voudrez, dit-il finalement. Mais je ne vous accorde que quelques minutes. Il y a des risques de complications et je souhaiterais en discuter avec vous.

Elle hocha la tête, tourna lentement la poignée. Elle s'arrêta un bref instant pour tenter de rassembler ses forces puis avança dans la chambre.

Sur le petit lit d'hôpital, étendue entre les draps immaculés, une femme sommeillait. Un tube de perfusion reliait un flacon à la veine de son bras. Les rideaux tirés plongeaient la pièce dans la pénombre mais on pouvait distinguer les murs d'un bleu pâle, la moquette profonde, couleur ivoire, et quelques tableaux de goût accrochés aux murs. Tina s'approcha du lit.

Sa mère avait beaucoup maigri. Des ombres creusaient ses joues et, comme toujours, la peau du visage avait une couleur jaune, malsaine. Dans les cheveux sombres, coupés court, couraient des filets d'argent. Ces mêmes cheveux qui, Tina s'en souvenait, avaient été autrefois magnifiquement épais et brillants. En contemplant ce visage enlaidi par les cernes mauves et l'expression pincée, sèche, de la bouche, elle se sentit submergée par une incontrôlable détresse. Les larmes coulèrent, brûlantes, sur ses joues, tandis qu'elle restait immobile, les yeux désespérément fixés sur sa mère. Ce fut à ce moment que, sans un bruit, sans un geste, la femme étendue sur le lit ouvrit les yeux. Ils étaient gris et sombres comme ceux de sa fille.

– Maman...

Les larmes ruisselaient maintenant.

– ... Pourquoi?

Tina revint chez elle au bord de l'épuisement, avec un seul désir : dormir et oublier. Sa migraine, obstinée, s'accompagnait à présent d'un martèlement incessant des tempes. Tina referma la porte d'entrée et s'appuya contre le panneau pour tenter de reprendre des forces.

– Tina?

Julie traversait le hall à sa rencontre. En remarquant la pâleur et la lassitude de son amie, elle passa un bras autour de ses épaules.

– Tu aurais dû me laisser venir avec toi.

Elles se dirigèrent vers les marches du grand escalier.

– Non... je n'aurais pas dû te laisser y aller seule.

– Ma mère... mon problème, murmura Tina.

Des accents de colère vibraient dans la voix de Julie quand elle répondit :

– Voilà bien la part la plus égoïste de ta personne. Ce que tu refuses de partager.

Elles pénétrèrent dans la chambre de Tina.

– Tu devrais te souvenir que je suis ton amie, poursuivit Julie. Toi, tu ne me laisserais pas vivre seule une situation pareille.

Tina se sentit vaciller de fatigue tandis que Julie l'aidait à ôter son tailleur noir.

– Je t'en prie, murmura-t-elle, ne sois pas fâchée. C'est vraiment mon problème, tu sais. Voilà trop longtemps que je porte ce fardeau pour changer quelque chose à ma conduite.

Mais Julie, qui contenait mal sa fureur, reprit d'une voix tendue :

– Au contraire, je suis contrariée. Et c'est même sans doute la seule raison que j'aie d'éprouver de la colère envers toi. Je ne peux pas supporter que tu te fasses tant de mal à toi-même.

Elle examina le visage pâle, crispé.

– As-tu mangé ?

Tina secoua la tête.

– Et, bien sûr, tu n'as pas faim, acheva Julie.

Elle entreprit de défaire elle-même les boutons

du chemisier de son amie. Docile, harassée, Tina la laissait faire. Tandis que Julie la poussait doucement vers le lit, elle murmura enfin :

– Je dîne avec Brian, ce soir.

– Dans ce cas, je vais l'appeler et annuler le rendez-vous. Tu as besoin de sommeil.

– Non...

Elle se coula entre les draps frais.

– Je veux y aller.

Elle ferma les yeux et corrigea :

– Je dois y aller. Tu sais, j'ai besoin de me changer les idées. De ne plus penser. Je vais me reposer maintenant. Il ne sera pas là avant sept heures.

A présent, Julie fermait les persiennes. Mais, avant même que la pièce soit plongée dans l'obscurité, Tina s'était endormie.

Sept heures venaient à peine de sonner lorsque Julie ouvrit la porte à Brian. Il portait ce soir-là un costume gris et une chemise sport à col ouvert. Son allure était à la fois élégante et décontractée. Il tenait un bouquet de violettes plutôt attendrissant.

Brian haussa un sourcil étonné à la vue du fourreau noir et moulant que portait la jeune femme.

– Bonsoir, Julie. Tu es tout simplement sublime.

Il prit une violette de son bouquet et la lui tendit.

– Tu sors ce soir ?

Elle accepta la fleur.

– Oui, dans un moment. Tina est presque prête. Brian...

Elle s'arrêta, hésitante, hocha la tête puis se

détourna pour le conduire vers le salon de musique en proposant :

– Je te sers un bourbon ? Je crois que tu aimes, non ?

Il la prit par le bras.

– Ce n'est pas ce que tu voulais me dire.

Elle prit une longue inspiration.

– Non.

Après un nouveau temps d'hésitation, Julie fixa sur lui ses beaux yeux bruns.

– Tu sais combien je suis attachée à Tina. Elle compte pour moi plus que n'importe qui, ici, en Californie. Peu de gens ont un tel sens de l'authenticité et, bien qu'elle soit persuadée du contraire, elle est encore très vulnérable. Je supporterais mal de la voir blessée de nouveau. Particulièrement en ce moment. Non, inutile de me demander plus d'explications, poursuivit-elle pour l'interrompre aussitôt. Il s'agit de la vie de Tina et je n'ai aucun droit de faire des confidences. Je veux bien simplement te dire ceci : traite-la avec délicatesse et patience. Elle en a besoin.

– Que sais-tu vraiment de ce qui s'est passé entre nous il y a cinq ans ? insista Brian.

– Je n'en sais que ce qu'elle a bien voulu me dire.

– Dans ce cas, tu devrais aussi m'interroger et t'informer de ce que, moi, j'ai ressenti à cette époque et de ce qui m'a conduit à la quitter.

– Parce que tu me le dirais ?

Il répondit aussitôt :

– Evidemment.

Mais, déjà, silhouette mince et pâle, Tina descendait l'escalier à leur rencontre.

– Mille excuses! J'ai horreur d'être en retard...

Elle portait une robe de fin voile blanc et ses cheveux soyeux flottaient en un charmant désordre derrière ses épaules.

– Impossible de mettre la main sur mes chaussures...

Brian l'observa. Son teint était plus animé qu'à leur précédente rencontre et ses yeux brillaient d'un éclat vif, joyeux. Trop vif, même, pensa-t-il fugitivement. Mais il oublia aussitôt cette pensée tandis qu'il s'avançait vers elle pour lui tendre son bouquet de violettes.

– Plus belle que jamais... D'ailleurs, t'attendre est un véritable plaisir, Tina.

Le nez enfoui dans les fleurs, elle murmura :

– L'irrésistible charme de la séduction irlandaise... il me manquait.

La gaieté fit flamber son regard et elle poursuivit :

– Je crois bien que, ce soir, tu vas me dorloter, Brian. Ce qui convient tout à fait à mon humeur.

Il la prit par la main.

– Où as-tu envie d'aller?

– Où tu voudras... n'importe où... Allons dîner, pour commencer. Je meurs de faim.

– Parfait. Je t'achèterai un sandwich.

– Oh! oh! Ternes habitudes quotidiennes...

Elle se tourna vers Julie.

– Amuse-toi bien ce soir et ne t'inquiète pas pour moi.

Elle observa une courte pause puis lui sourit et dit en l'embrassant :

– Je te promets de ne pas perdre les clés de la maison. Au fait, salue de ma part...

Elle s'arrêta sur le chemin de la porte et hésita un instant.

– ... A propos, qui est l'élu, ce soir?

Julie répondit en les observant tous deux :

– Lorenzo. Le roi de la chaussure.

– Ah oui!...

Tina éclata de rire. Dehors, elle respira la fraîche brise de cette soirée de printemps et passa son bras sous celui de Brian.

– Julie est vraiment étonnante. Il lui faut toujours quelque soupirant archimilliardaire. Elle a le don de les attirer.

Brian ouvrit la portière de la voiture.

– Qui est ce roi de la chaussure?

– Oh! Un Italien, bien sûr. L'élégance somptueuse d'un prince régnant ou d'une couverture de magazine, au choix.

Brian se glissa à ses côtés à l'intérieur de la voiture et, en un geste d'habitude, repoussa doucement les longues mèches de Tina derrière ses épaules.

– Entre eux, c'est sérieux?

La caresse presque machinale de Brian émut Tina plus que de raison. Elle répondit un peu trop vite :

– Pas plus que l'idylle de Julie avec un magnat du pétrole ou avec le plus célèbre créateur de parfums de luxe... Où m'emmènes-tu dîner, Brian? Je t'ai prévenu : j'ai une faim de loup.

Il encercla délicatement son cou d'une main pour la forcer à le regarder.

– Quelque chose te préoccupe, Tina, je le sais.

Il avait toujours tout compris, tout décelé, trop vite. Peut-être était-ce le secret de son étonnante inspiration.

Tina posa sa main sur la longue main élégante.

– Je t'en prie, pas de questions. Pas maintenant.

Elle le sentit hésiter puis, lentement, sans paraître se soucier du faible geste de résistance qu'elle esquissait, il retourna son poignet et approcha la paume de ses lèvres.

– Comme tu voudras, acquiesça-t-il. Pourtant, je sais que je te trouble encore, Tina.

Cette pensée parut lui procurer un extrême plaisir et il répéta en souriant :

– Oui, je le sais, je le sens.

Un irrépressible tremblement remonta le long du bras de Tina.

– C'est vrai.

Elle se libéra mais ne le quitta pas des yeux.

– Tu as encore le pouvoir de me troubler, je t'avoue. Malgré tout, rien n'est plus comme avant.

Il lui adressa son sourire le plus éblouissant et lança le moteur.

– Tu as raison, ma chérie. Rien n'est comme avant.

Tandis que la voiture s'éloignait, Tina, mal à l'aise, eut l'impression que leurs mêmes paroles cachaient des pensées complètement différentes.

Le dîner fut calme, intime, parfait. Brian avait choisi une petite auberge modeste, à l'ancienne, qu'ils avaient découverte tous deux autrefois. Dans cet endroit discret, Brian était sûr qu'aucun fan, aucun journaliste, aucune vieille connaissance ne viendrait les déranger. Ils pourraient enfin dîner en tête-à-tête à la lueur des chandelles, être un couple comme un autre partageant le plaisir d'un bon vin, d'une nourriture raffinée et d'une chaleureuse ambiance.

Tandis que la soirée avançait, Tina sentit son désespoir lâcher du terrain devant une gaieté de plus en plus sincère. Brian nota ce changement mais se garda de tout commentaire.

Entre deux bouchées de tendre rôti de bœuf, une des spécialités de la maison, Tina soupira :

– J'ai l'impression de ne pas avoir mangé depuis huit jours.

Brian lui tendit son assiette.

– Termine le mien, pendant que tu y es.

Tout en piquant sa fourchette dans une pomme de terre grillée, elle lança, rieuse :

– Nous devrions leur demander de mettre le reste de côté pour que je l'emporte à la maison. J'aimerais garder de la place pour le dessert. Est-ce que tu as remarqué le chariot de pâtisseries ?

Brian versa un peu de bourgogne dans leurs verres et observa :

– Si tu continues à ce rythme, il faudra que je te fasse rouler comme un tonneau pour te conduire en Cornouailles.

Tina eut un rire de gorge, à la fois profond et soyeux. Un rire terriblement attirant.

– N'en crois rien. Je ne serai plus qu'un paquet d'os à la fin de ma tournée de concerts. Tu sais toi-même combien c'est épuisant.

– Je sais. Un spectacle par soirée, de San Francisco à New York.

Surprise, elle le regarda. Il expliqua :

– Henderson m'a mis au courant.

Presque distraitement, il enroula une mèche de Tina autour de son doigt et poursuivit :

– Si tu es d'accord, nous pourrions nous rejoindre à New York et, de là, prendre l'avion pour la Cornouailles.

– Entendu.

Elle eut un long soupir et repoussa son assiette. Cette fois, elle se sentait réellement repue.

– Interroge Julie pour les détails du voyage. Je n'ai aucune mémoire pour ce genre de choses. Tu as l'intention de rester aux Etats-Unis jusqu'à notre départ?

Il continuait de jouer avec ses cheveux et, quand elle esquissa un geste de résistance, il enveloppa tendrement sa main dans la sienne.

– J'ai un contrat pour quinze jours de concerts à Las Vegas, poursuivit-il. Voilà d'ailleurs un bon moment que je ne m'y suis pas produit. J'imagine que rien n'a changé là-bas.

Tina sourit en secouant la tête.

– Non. J'y étais moi-même il y a environ six mois. Julie a gagné une fois au baccara. Quant à moi, je me suis ruinée avec les machines à sous...

– J'étais au courant de ta tournée là-bas par les journaux.

Il lui sourit et entreprit de jouer, cette fois, avec la fine chaîne d'or qui entourait le poignet de la jeune femme.

– Il paraît que tu as été vraiment formidable, là-bas.

Rieuse, elle renchérit :

– Oh! Encore mieux!

– J'aurais aimé t'y entendre.

Il lui saisit le poignet et la sentit tressaillir.

– Il y a trop longtemps que je t'ai entendue chanter, Tina.

– Pas si longtemps, rétorqua-t-elle. Tu étais dans le studio d'enregistrement, l'autre jour.

Elle se dégagea pour saisir son verre. Aussitôt, il s'empara de la main libre.

– Brian... commença-t-elle, à demi amusée.

Il ignora l'intervention.

– T'entendre à la radio ou dans un studio, c'est exactement la même chose. Mais je parle d'un véritable concert en public. Et aussi...

Les accents de sa voix se firent plus tendres.

– ... Les chansons que tu interprètes pour moi seul.

Sa voix était aussi suave et enivrante que le vin que Tina buvait. Connaissant trop l'influence irrésistible que Brian avait sur elle, elle chercha à changer de sujet de conversation. L'air faussement grave, elle baissa la voix et se pencha vers lui.

– Sais-tu ce que je voudrais, à présent?

– Le dessert.

Elle lui adressa son plus radieux sourire.

– Tu me devines toujours.

Plus tard, Tina eut envie d'aller danser. Ils furent tous deux d'accord pour éviter les discothèques trop à la mode et bondées de la ville, préférant porter leur choix sur un club beaucoup moins connu. L'orchestre était bon mais, là aussi, la foule des danseurs innombrable. Cet endroit ressemblait aux dizaines d'autres que Tina et Brian avaient connus au début de leur carrière. Malgré leurs efforts pour se mêler discrètement aux habitués, moins d'une demi-heure plus tard, ils étaient reconnus. Une très jeune femme blonde s'arrêta près d'eux et les regarda avec admiration.

– Excusez-moi mais... n'êtes-vous pas Brian Carstairs et Tina Williams?

Brian prit le plus pur accent texan pour répondre d'une voix traînante.

– Pas du tout. Je m'appelle Bob Muldoon. Et voici ma femme, Sheila.

Il saisit fermement Tina par le bras.

– Dis-lui salut, Sheila.

– Salut, dit Tina.

Mais, d'un bond, la jeune fille blonde avait arraché un morceau de nappe en papier et saisi un crayon.

– Je m'appelle Debbie. S'il vous plaît, pouvez-vous écrire ici : « A ma grande amie Debbie » ?

Brian lui adressa son plus exquis sourire et s'exécuta.

– Et vous aussi, Tina, poursuivit Debbie. Ecrivez sur l'autre côté, s'il vous plaît.

A son tour, Tina obéit. Elle songea que tant d'insistance et d'absence de formalisme étaient bien typiques de ses fans. Bien que superstar, sa chaleur, sa spontanéité la rendaient si proche de son public qu'il la traitait comme une amie de longue date. Lorsqu'elle tendit le bout de papier, elle remarqua que Debbie posait des yeux écarquillés sur Brian. Tina savait ce qu'un tel regard signifiait. Dans peu de temps, on allait assister à une véritable crise d'hystérie. Elle toucha l'épaule de la jeune fille.

– Remets-toi, Debbie.

– Oh...

La jeune admiratrice prit le papier, parut flotter un bref instant entre deux émotions, puis sourit.

– Merci... Merci beaucoup.

Déjà, Brian entraînait Tina vers la sortie. Mais

il aurait été naïf de croire qu'à présent ils pouvaient passer inaperçus. Le quart d'heure qui suivit vit se former une sorte de bousculade effrénée au cours de laquelle des dizaines de fans quêtaient les autographes de leurs idoles, posaient une avalanche de questions, les bousculaient par-ci, les tiraient par-là.

Fort heureusement, il était encore tôt pour une ville comme Los Angeles et l'on n'avait pas encore eu le temps de trop boire. Pourtant il fallait d'urgence quitter l'endroit. Un fan plus excité que les autres pouvait brusquement faire tout basculer dans la violence. Quelques mains touchèrent les cheveux de Tina puis, enfin, ils furent dehors. Deux ou trois obstinés les suivirent jusqu'à leur voiture dont Brian se hâta de verrouiller les portières et il démarra aussitôt. Soulagé, il laissa échapper un long soupir.

– Bon sang! Je suis désolé, Tina.

Elle se détendit et repoussa les mèches qui lui barraient le front.

– Ne dis pas de bêtises. C'est ma faute. Je voulais sortir. D'ailleurs, l'épreuve n'a pas été trop terrible.

– Certaines fois, elle ne se termine pas aussi bien, en effet, murmura Brian.

La voiture se mêla à la circulation de Los Angeles.

– Possible, concéda Tina. Mais, sur ce plan, j'ai toujours eu de la chance. Une fois ou deux, j'ai eu un peu peur. C'est la rançon du succès, j'imagine, et aussi de la publicité. Les gens oublient que nous sommes aussi des êtres de chair et de sang. Comme eux.

– C'est sans doute pour cela qu'ils essaient,

parfois, de rapporter quelques morceaux de notre corps à la maison...

– Je me souviens d'un reportage sur l'un de tes concerts, il y a sept ou huit ans. C'était à Londres, je crois. Le public avait forcé les barrages de sécurité et paraissait vouloir te dévorer tout cru. Quelle horreur!

– Oui, leur adoration m'a coûté plusieurs côtes cassées.

Tina se redressa, bouleversée.

– Oh, Brian... Je ne savais pas. C'est affreux.

Il sourit en haussant les épaules.

– Les organisateurs ont essayé de minimiser l'affaire. Moi, j'ai senti considérablement diminuer mon goût des concerts en public. Maintenant, curieusement, je n'y pense plus.

Il engagea la voiture vers les collines surplombant la ville.

– Les mesures de sécurité sont plus sévères, aujourd'hui.

– Je ne sais pas si j'aurai encore le courage d'affronter un public après ce que tu viens de me dire.

Il rétorqua aussitôt :

– Et ces bonnes décharges d'adrénaline que ce genre d'expérience te procure, où les trouverais-tu? Nous avons tous besoin de ce contact, de ce moment exaltant où les applaudissements et les cris explosent autour de nous.

Il éclata de rire et l'attira contre lui.

– Pourquoi crois-tu que nous faisons ce satané métier, Tina? Pourquoi tant d'autres rêvent-ils d'être à notre place? Parce que nous avons besoin de cet affrontement permanent. Et, toi-même, quand tu as commencé...

Elle enchaîna :

– Oui, je voulais m'évader. La musique formait la seule part de ma vie qui ne me trahissait pas. J'avais besoin de quelque chose qui m'appartienne vraiment. Rien qu'à moi. Et toi, pourquoi as-tu choisi cette voie?

– Plus ou moins pour les mêmes raisons. J'éprouvais le désir de m'exprimer, d'exister auprès des autres.

Elle se mit à rire.

– Il faut dire qu'à tes débuts, tu n'y allais pas de main morte : ta musique était violente, exigeante. Une musique de mauvais garçon...

– Je me suis radouci depuis.

– La chanson fétiche de ton dernier album ne me paraît pas mièvre pour autant. *Fièvre*, c'est bien le titre?

Il sourit brièvement.

– J'ai une image de marque à maintenir.

– Numéro un pendant près de trois mois au hit-parade, c'est plutôt réussi!

– En effet. Si je me souviens bien, d'ailleurs, je t'ai fait perdre quelques places, n'est-ce pas? Il s'agissait d'une de tes tendres ballades. L'arrangement n'était pas mal réussi mais il y avait peut-être un peu trop de violons.

Elle lui donna en riant une bourrade sur le bras.

– Tina... Si tu continues, nous allons avoir un accident.

– Cette tendre ballade, comme tu dis, mon cher, m'a valu un disque d'or.

– Bien sûr, bien sûr, concéda-t-il. La chanson était bonne. Peut-être un peu trop sentimentale, néanmoins, mais...

– J'aime les chansons sentimentales. Un chanteur n'a pas à se sentir toujours obligé de jouer les intellectuels.

– Bien sûr que non. Il y a un public pour les mélodies romantiques.

Ils étaient à nouveau lancés dans l'une de leurs conversations favorites d'autrefois : débattre de leur travail respectif.

– Des mélodies romantiques... répéta Tina. Tu exagères. Tout le monde ne peut pas se permettre des rythmes de soufflets, des bruits de machines et autres fantaisies endiablées du genre.

Elle s'aperçut alors qu'il garait la voiture sur le côté de la route.

– Que fais-tu?

Il lui sourit et passa tendrement un doigt sur le bout de son nez.

– J'ai peur que tu ne me donnes de nouveaux coups... Tu disais?

– ... Des bruits de machines et de soufflets, répéta-t-elle. Comment pourrais-tu appeler autrement ce duel de guitare et de piano à la fin de *Fièvre*?

– Une bonne conclusion pour le morceau, c'est tout.

Tina, qui se sentait en réalité tout à fait d'accord avec lui, fit entendre malgré tout un petit ricanement.

– Moi, je n'ai pas besoin de ces gadgets-là. Mes chansons sont...

– Trop sentimentales.

Elle haussa un sourcil.

– Si, réellement, tu trouves ma musique tellement mièvre, je ne vois pas pourquoi tu insistes tant pour que nous travaillions ensemble.

– Au contraire, rétorqua-t-il. Nous nous compléterons. Comme nous l'avons toujours fait.

– Dans ce cas, je te prédis quelques jolis affrontements en perspective.

– Possible.

Elle essaya de réprimer un sourire.

– Et tu ne seras pas toujours gagnant.

– Tant mieux. Sinon je m'ennuierais.

Il l'attira de nouveau à lui et, malgré sa résistance, blottit sa tête contre son épaule. D'un geste, il désigna les lumières de Los Angeles qui brillaient à leurs pieds.

– Regarde... Les villes sont toujours plus belles, la nuit.

Tina approcha son visage de la vitre de la voiture.

– Parce que c'est plus romantique. En bas, c'est le tumulte, la fièvre. En haut, la paix.

Elle sentit les lèvres de Brian sur son front et tenta de le repousser. Il insista.

– Ne te dérobe pas, Tina. Pas maintenant.

Sur la nuque de la jeune femme, la main de Brian était douce et ferme à la fois. Il pencha lentement la tête et sa bouche rencontra celle de Tina. Persuasives, séductrices, ses lèvres explorèrent la peau fraîche et soyeuse des paupières, des tempes, des joues. Puis il chercha de nouveau sa bouche et l'embrassa doucement, obstinément. Faible, bouleversée, Tina se sentit flotter vers lui, comme toujours en sa présence. Elle accueillit docilement son baiser et il murmura confusément son nom avant de glisser ses lèvres vers le creux tendre de son cou. Le parfum de Tina l'enveloppait comme une caresse.

Quand il posa ses mains sur sa poitrine, elle gémit. Le désir et la crainte combattaient en elle. Leurs deux corps étaient l'un contre l'autre à présent et les mains de Brian la brûlaient comme du feu à travers le voile fin de la robe. Cela faisait si longtemps qu'elle n'avait pas éprouvé cette faim désespérée des sens, ce besoin bouleversant d'amour et de tendresse. Tout son être criait de désir vers lui.

– Tina. Ma chérie... Je te désire tellement.

Ses lèvres couraient sur sa gorge, son visage, se blottissaient au creux de son oreille.

– Voilà si longtemps... Reviens avec moi à l'hôtel. Reste cette nuit...

La passion, irrésistible, envahissait Tina. Brian captura une nouvelle fois ses lèvres et glissa sa langue dans la douce chaleur de sa bouche. Fougueusement, impérieusement, il prenait possession d'elle.

Tina chercha à se défendre.

– Non.

Péniblement, elle tenta de retrouver son souffle.

– Arrête.

Brian la prit brusquement par les épaules.

– Pourquoi? demanda-t-il avec rudesse. Je sais que tu as envie de moi. Je le sens.

Elle secoua la tête et, les mains tremblantes, essaya encore de le repousser.

– Non. Je ne veux pas. Je ne peux pas... Tu me fais mal, Brian. Allons-nous-en.

Il relâcha lentement son étreinte.

– Toujours la même histoire, alors?

Il alluma nerveusement une cigarette.

– Tu t'abandonnes jusqu'à ce que je devienne à moitié fou. Et puis tu me rejettes.

Il expira lentement la fumée.

– J'aurais dû m'en douter.

– Tu es injuste. C'est toi qui as commencé.

– Furieux, il répliqua :

– Je sais que tu me désires, Tina. Bon sang, j'ai connu assez de femmes dans ma vie pour deviner leurs réactions.

Comme une vieille ennemie, la migraine revenait marteler les tempes de Tina.

– Alors tu en connais suffisamment pour ne pas avoir besoin de moi, Brian. Je t'ai prévenu : je ne me prosternerai pas à tes pieds une nouvelle fois.

Elle passa sa langue sur ses lèvres sèches et poursuivit :

– Si notre relation reste strictement professionnelle, parfait. Mais, si tu as d'autres idées en tête, trouve une autre partenaire.

– Celle que j'ai me convient.

Il jeta sa cigarette par la fenêtre ouverte.

– Pour l'instant, je te laisse le dernier mot, Tina. Nous sommes tous deux des professionnels et nous mesurons parfaitement l'enjeu de cette comédie musicale pour nos carrières respectives.

Il lança le moteur.

– Je te ramène chez toi.

Chapitre 5

Tina détestait arriver en retard à une soirée. A dire vrai, après une journée au programme plutôt chargé, elle se serait volontiers passée de cette obligation supplémentaire. Il ne lui restait plus que deux jours avant son départ en tournée mais un cocktail auquel assistaient la plupart des acteurs et des producteurs de *Fantasy*, on n'y coupait pas.

En fait, Tina avait complètement oublié ce rendez-vous. La séance de répétition avait été épuisante et, pour se détendre, elle était partie en voiture dans le quartier de Beverly Hills faire un peu de lèche-vitrines. Depuis trop longtemps on exigeait d'elle presque l'impossible et elle avait besoin de se changer les idées. De ne plus penser à sa mère. Ni à Brian.

Quand elle rentra chez elle, Julie avait épinglé en évidence une note sur la porte de sa chambre :

Ce soir, cocktail chez Steve Jarett. Je sais que tu as oublié. C'est important! Courage et viens! Je dîne avec Lorenzo ce soir. Nous nous retrouverons là-bas.

J.

Tina jura entre ses dents, songea un instant à annuler puis capitula. Elle s'habilla pour la circonstance et, une heure plus tard, filait à grande vitesse sur la route des collines de Hollywood. Julie avait raison : c'était un rendez-vous important.

Steve Jarett était le réalisateur de *Fantasy*. Après avoir signé la mise en scène de trois films qui furent autant de succès, il était à présent le cinéaste le plus recherché de Hollywood. Il fallait s'attendre, songea Tina, à trouver chez lui une foule bruyante et animée, le dessus du panier des artistes les plus en vogue. D'habitude, elle aimait se rendre à ces soirées où l'on rencontrait les gens les plus fous qui, tous, vous racontaient d'extravagantes histoires. Pourtant, ce soir, une telle perspective l'effrayait. En réalité... Elle soupira. Il fallait s'y préparer : Brian serait là, lui aussi.

Tina se demanda s'il viendrait accompagné. Après tout, se dit-elle, pourquoi pas! A moins qu'il n'espérât rencontrer quelque jolie fille chez Steve. Tina soupira une nouvelle fois tandis qu'elle s'approchait de la villa illuminée où se déroulait la partie se reprochant de penser encore à une histoire terminée depuis des années.

A la grille d'entrée de la propriété, un gardien lui demanda son identité et vérifia sur la liste des invités. Elle pouvait déjà entendre les flots de musique tandis qu'elle conduisait sa voiture le long de l'allée bordée de palmiers.

Sur le seuil de la maison, un tout jeune homme vêtu d'une veste blanche l'attendait. Il tint ouverte la portière de la Lamborghini pendant qu'elle sortait en lui adressant un sourire. Il

devait s'agir d'un jeune aspirant comédien, songea-t-elle, ou de quelque scénariste en herbe
rêvant, lui aussi, de suivre les sentiers de la
gloire.

– Bonsoir, dit-elle. Je crois que je suis plutôt
en retard. Pensez-vous que je puisse me faufiler à
l'intérieur sans me faire trop remarquer?

– Je n'en jurerais pas, mademoiselle Williams.
Pas vous.

Elle haussa un sourcil, surprise d'être déjà
reconnue malgré la demi-pénombre.

– Je suppose que je dois prendre cela pour un
compliment? demanda-t-elle.

Il répondit aussitôt avec fougue.

– Oh oui, mademoiselle!

Tina éclata de rire.

– Eh bien, je vais malgré tout tenter ma
chance.

Elle étudia du regard la grande bâtisse en
brique.

– Il n'y aurait pas une autre entrée, par
hasard?

– Si. Prenez ce chemin, sur la gauche. Vous
trouverez une porte vitrée qui vous conduira
directement à la bibliothèque. Vous pourrez
peut-être ainsi passer inaperçue.

– Mille mercis!

Elle voulut lui donner un généreux pourboire
et s'aperçut alors que son sac, comme d'habitude, était resté dans la Lamborghini. Après
l'avoir récupéré, Tina sortit un billet de vingt
dollars qu'elle tendit au garçon.

– Oh! Merci, Tina!

Déjà, la jeune femme s'éloignait quand il la
rappela.

– Mademoiselle Williams... Voulez-vous le signer? S'il vous plaît...

Elle le regarda avec un demi-sourire.

– Quoi? Le billet?

– Oui.

Tina éclata de rire.

– Je crois que vous devriez en faire un meilleur usage. Attendez...

Elle fouilla dans son sac à la recherche d'un bout de papier et le seul qu'elle trouva fut une liste de courses dressée à son intention par Julie. Elle retourna la feuille au verso de laquelle elle écrivit quelques lignes amicales. Quand elle s'éloigna de nouveau, le garçon resta planté là, les yeux fixés avec émerveillement sur la vedette, le billet de vingt dollars dans une main et l'autographe dans l'autre.

Tina trouva son chemin sans autre problème et pénétra comme prévu à l'intérieur de la bibliothèque. Les échos d'un rock endiablé parvenaient, à peine amortis, à ses oreilles tandis qu'elle apercevait à travers les baies vitrées des groupes d'invités qui évoluaient autour de la piscine.

Elle était habillée ce soir-là d'une jupe longue et d'un bustier à manches bouffantes dont la chaude couleur prune était rehaussée de fils d'argent luisant faiblement sous le clair de lune. Rapidement, elle arrangea quelques mèches de cheveux et quitta la pièce.

Tandis qu'elle suivait un large couloir en direction du salon, elle fut accostée par une petite blonde à la chevelure ébouriffée. C'était une actrice de grand talent, spécialisée dans les rôles comiques ou satiriques, pour qui Tina éprouvait beaucoup de sympathie.

– Tina! Je ne savais pas que tu étais ici.

Carly Devers avait la voix aiguë d'une petite fille. Les deux jeunes femmes s'embrassèrent.

– Bonsoir, Carly. J'ai appris que tu avais le second rôle dans *Fantasy*. Toutes mes félicitations.

– En effet. Le contrat se négocie encore mais je crois qu'il n'y aura pas de problème. En tout cas, c'est un vrai privilège que de travailler avec Steve Jarett. C'est *le* metteur en scène dont rêvent tous les acteurs.

Son regard bleu étudia Tina avec une attention soutenue.

– Tu es vraiment ravissante. A propos, moi aussi, j'ai des compliments à te faire.

– C'est vrai. Je suis vraiment heureuse de cosigner la musique du film.

Carly hocha la tête en esquissant un sourire.

– Je ne parlais pas de cela, mais de Brian Carstairs, ma chérie.

L'expression de Tina se ferma aussitôt.

– Oh! oh!...

Carly souriait toujours.

– C'est encore d'actualité, on dirait...

Il n'y avait pas trace de malice dans sa gaieté tandis qu'elle glissait un bras sous celui de Tina.

– Tu sais que te connaître me semble tout à fait précieux, Tina. Je rêve d'interpréter un jour quelque chose de Brian et je ne suis sûrement pas la seule.

Carly l'entraînait à présent en direction de la foule bruissante des invités.

– Je croyais que tu t'intéressais à Dirk Wagner, hasarda Tina.

– Oh! Tu sais, il est devenu très démodé. Tu

devrais te mettre un peu à la page, ma chérie.

Elle éclata d'un rire contagieux.

– En attendant, poursuivit Carly, rassure-toi. Je n'ai pas l'habitude de braconner sur les chasses gardées...

Tina s'appliqua à répondre d'une voix complètement neutre.

– Mais elle n'est pas gardée, Carly.

– Hum! J'ai pourtant entendu dire que Brian est un amant exceptionnel.

Elle étudia le visage de son amie tandis qu'un serveur passait près d'elles, portant un plateau chargé de verres.

Tina soutint son regard.

– Vraiment? rétorqua-t-elle. Mais peut-être que ces rumeurs, elles aussi, sont passées de mode...

– Touché, murmura Carly, le nez dans son verre.

– Brian est ici, ce soir?

Carly répondit, ambiguë :

– Il est là, il n'est pas là... En fait, je me demande s'il essaie d'éviter le nuage d'admiratrices qui le poursuit ou si, au contraire, il est en train de chercher l'âme sœur d'un soir. Il est plutôt du genre hermétique, hein?

Tina murmura quelque chose d'incompréhensible et décida qu'il était grand temps de changer de sujet.

– Je crois que je devrais aller saluer Steve.

Décidément, cette soirée avait toutes les caractéristiques attendues d'une réception hollywoodienne. Les plus grands stylistes européens et américains rivalisaient d'élégance par vêtements de soirée interposés. Des robes de chez Saint Laurent côtoyaient des tenues plus western ou faussement militaires. Près de la piscine, un orchestre accompagnait de ses rythmes le brouhaha des rires et des conversations. Les baies vitrées ouvraient sur de larges étendues de pelouse artistiquement éclairées par des lampes colorées. Dans la pièce de réception, entièrement blanche, des murs laqués à la moquette épaisse, sans oublier les meubles, seules quelques touches de vert cru tranchaient çà et là. Tina trouva cette décoration extraordinaire mais elle n'aurait pas pu y vivre pour un empire.

Elle aperçut Julie, accompagnée de son prince charmant italien. Quant à Wayne, un peu plus loin, il était comme à l'accoutumée flanqué de l'un de ses squelettiques mannequins. Sa présence à cette soirée semblait confirmer la rumeur qui le désignait comme le dessinateur des costumes de *Fantasy*. Tina laissa errer son regard sur la foule des invités : il y avait de nombreux producteurs de cinéma, deux très célèbres acteurs de théâtre qu'elle avait eu maintes fois l'occasion d'admirer à la scène, un chorégraphe fameux, un scénariste de talent qu'elle avait déjà rencontré à deux ou trois reprises et tant d'autres encore qu'elle connaissait plus ou moins. Bientôt, Carly et elle se trouvèrent emportées dans le flot agité des invités.

Au milieu d'une série d'embrassades, d'accolades et autres salutations innombrables, une main se posa soudain sur son épaule. C'était Steve Jarett.

– Bonsoir, Tina. Je craignais que tu ne puisses venir.

C'était un homme petit et mince dont la courte barbe noire cernait un visage d'une pâleur intense. Il paraissait beaucoup plus jeune que ses trente-sept ans et avait la réputation d'être l'un des plus grands perfectionnistes du cinéma. Il savait se montrer patient avec les acteurs qu'il obligeait souvent, néanmoins, à tourner la même scène un nombre incalculable de fois avant d'obtenir le résultat qu'il souhaitait. Ses films étaient vraiment magnifiques. Cinq ans plus tôt, il avait émerveillé la critique avec un long métrage à petit budget. Les portes du succès s'étaient alors ouvertes devant lui et son influence dans le monde du cinéma était désormais acquise.

Il prit les deux mains de Tina dans les siennes et la regarda longuement. C'était lui qui avait insisté pour que Brian écrive la musique du film. Lui aussi qui avait approuvé le choix de Tina Williams comme coauteur aux côtés de Brian. Et Steve Jarett était trop bon professionnel pour commettre des erreurs.

— Lauren Chase est ici, dit-il enfin. Tu l'as déjà rencontrée?

— Non.

— J'aimerais que tu analyses bien sa personnalité. J'ai les cassettes de tous ses films ainsi que ses disques. Tu devrais les étudier avant de commencer à écrire la musique.

— Tu sais, j'ai vu tous ses films. Mais, si tu insistes, je les regarderai de nouveau. C'est vrai que la production repose sur elle.

Il lui adressa son plus radieux sourire.

— C'est exactement cela. Tu connais aussi Jack Ladd?

— Oui, nous avons déjà travaillé ensemble. Il jouera à merveille le rôle de Joe.

Jarett prit un canapé sur un plateau qui passait près de lui.

— Je suis en train d'essayer de lui faire perdre

cinq kilos. Je crois que cela ne le rend pas du tout tendre à mon égard.

– Peut-être, mais il accepte quand même de maigrir...

Il sourit.

– Gramme par gramme, oui. Je l'ai emmené chez mon professeur de gymnastique. Il faut qu'il se rappelle que le personnage de Joe est celui d'un écrivain plutôt sous-alimenté, et non celui d'un séducteur narcissique...

Tina eut un long et sourd rire de gorge.

– En attendant, il me semble que tu as réuni une fameuse équipe. Au fait, comment as-tu réussi à convaincre Larry Keaston de diriger la chorégraphie? Il a pris sa retraite voilà plus de cinq ans.

Jarett jeta un coup d'œil en direction du danseur aux cheveux blancs et à la mise raffinée, confortablement installé dans un profond fauteuil couleur ivoire.

– Avec de la persévérance et... beaucoup d'argent, répondit-il. Il joue le digne retraité, blasé de tout, mais en réalité il meurt d'envie de retourner devant les caméras.

– Si tu parviens aussi à le persuader d'esquisser un pas ou deux de danse dans le film, tu signeras l'œuvre la plus célèbre de cette décennie. C'est un danseur sublime.

Jarett remarqua soudain :

– Tu sais qu'il est l'un de tes admirateurs les plus inconditionnels?

Tina ouvrit de grands yeux. Tant de fois, lorsqu'elle était enfant, elle avait regardé avec passion ses films sur un vieux poste de télévision en noir et blanc. Et voilà qu'à nouveau, le rêve devenait réalité.

– Tu plaisantes... articula-t-elle, sidérée.

– Pas du tout. Viens, je vais te présenter à lui.

Elle le suivit, docile, et l'entretien avec celui-ci fut des plus agréables. Larry Keaston était un homme spirituel et sympathique, à qui le typique accent de Boston qu'il avait conservé ajoutait un charme supplémentaire.

Tina commençait à s'amuser vraiment. Elle repéra Wayne qui sirotait paisiblement son verre dans un coin et le rejoignit.

– Comment... Te voilà seul?

Il but tranquillement une gorgée de whisky.

– J'observe la foule, ma chère. Il est remarquable de constater combien des gens par ailleurs plutôt intelligents peuvent revêtir en certaines circonstances des nippes parfaitement hideuses.

En suivant son regard, Tina aperçut une grande femme brune vêtue d'une minirobe rose ultramoulante.

Elle sourit.

– Tout le monde n'a pas ton savoir-faire, Wayne.

Il prit une cigarette.

– Evidemment, non. Mais on peut toujours avoir du goût.

Tina désigna le jeune mannequin amené par Wayne à la soirée et qui discutait en ce moment avec un célèbre acteur de télévision. La jeune femme était divinement vêtue d'une robe en dentelle noir et or.

– J'aime la façon dont tu as habillé ta dernière protégée, observa-t-elle. Cela dit, je jurerais que cette fille n'a pas plus de dix-huit ans. Tu trouves quand même des sujets de conversation avec elle?

Il lui lança un regard sarcastique.

– Est-ce que tu cherches à faire de l'esprit, ma chérie?

Elle se mit à rire.

– Pas particulièrement.

Il lui donna une petite tape sur la joue et leva son verre.

– J'ai vu que Julie était venue avec sa dernière conquête. Un Latin, si je ne me trompe?

Tina hocha la tête.

– Et roi de la chaussure.

Elle laissa errer ses yeux sur les différents groupes d'invités et, brusquement, repéra Brian à l'autre bout de la pièce. Il avait les yeux rivés sur elle. En sursautant, Tina se demanda depuis combien de temps il l'observait.

Ce fut comme si elle sombrait dans un brouillard épais mais, déjà, la voix de Wayne la ramenait à la réalité.

– Tina... Tina?

Elle sursauta.

– Oui...

– Tes pensées sont écrites sur ton visage, murmura-t-il. Ce n'est pas prudent quand on est au milieu de tant de monde.

Il prit une fraîche coupe de champagne et la lui tendit.

– Allez, bois.

Elle prit machinalement le verre tandis que Wayne l'observait.

– Je... Je pensais... Eh bien, il paraît que nous allons travailler ensemble.

Wayne lui adressa un sourire énigmatique.

– Alors, on se retrouve entre vieux copains?

Elle soutint son regard, sachant pertinemment à qui il faisait allusion.

– Entre professionnels, corrigea-t-elle.

Il passa un doigt sur sa joue.

– Et les amis, ils n'y ont pas leur place?

– Mais si. Tu sais que j'ai un naturel plutôt sociable.

– Hmmm...

Wayne jeta un coup d'œil par-dessus son épaule. Brian s'approchait. En étudiant l'élégant costume ardoise que portait le musicien, il murmura :

– Au moins il sait s'habiller, lui. Au fait, pourquoi la Cornouailles? Pourquoi pas Sausalito?

Tina se mit à rire.

– Vraiment, tu sais tout, toi!

– J'espère bien que non. Bonjour, Brian. Ravi de te revoir.

Tina sourit à l'arrivant.

– Bonjour, dit-il. Tu n'as pas encore rencontré Lauren Chase?

Elle fit un effort pour détourner ses yeux des siens.

– Non.

Lauren était une femme splendide avec ses épais cheveux châtains et ses yeux verts. Mince, éthérée, elle avait une peau si pâle qu'elle en devenait presque transparente. Quand elle marchait, on aurait dit qu'elle ne touchait pas le sol.

Tina songea en l'observant que Lauren avait déjà sans doute largement dépassé la trentaine mais sa beauté, au contraire, tirait un profit supplémentaire de la maturité.

Elle s'était mariée deux fois. Son premier divorce avait fait grand bruit et passionné la presse à sensation. A présent, avec deux enfants, sa vie privée n'offrait plus matière aux journalistes en quête de potins.

Elle s'adressa à Tina d'une voix riche et mélodieuse.

– Brian me dit que vous mettez tout votre cœur dans votre musique.

Tina jeta un coup d'œil au musicien.

– Quelle responsabilité, n'est-ce pas? En général, Brian me considère comme une incorrigible sentimentale et, moi, je le juge plutôt cynique.

Lauren sourit.

– Très bien. Nous pouvons être assurés ainsi que votre musique sera inspirée. Au fait, Steve m'a dit que je pourrai user d'un droit de regard sur les chansons que j'interpréterai.

Tina haussa un sourcil. Cette phrase était-elle une remarque sans importance ou un avertissement? Elle répondit obligeamment :

– Alors, nous aurons à vous tenir informée des différents stades d'évolution de notre travail.

– Par écrit et par téléphone.

Lauren jeta un coup d'œil à Brian.

– Puisqu'il paraît que vous allez au bout du monde pour écrire.

Brian répondit, très à l'aise :

– Les artistes ont parfois de drôles d'idées.

– En tout cas, c'est vrai pour Brian, commenta Tina.

Lauren haussa les épaules.

– De toute façon, c'est votre affaire.

Elle fixa un regard aigu sur Tina.

– J'attends beaucoup de cette musique. C'est une chance que j'espérais depuis longtemps.

C'était à la fois un défi et un aveu. Tina hocha lentement la tête. Décidément, Lauren Chase représentait la femme idéale pour le rôle de Tessa.

– Tout se passera bien.

Lauren eut un sourire froid.

– Je l'espère.

Elle se retourna vers Wayne, glissa un bras sous le sien.

– Et si tu m'offrais un verre? J'aimerais que tu me parles un peu des fabuleux costumes que tu vas dessiner pour moi.

Tina les regarda s'éloigner et murmura en faisant tourner son verre:

– Cette femme sait ce qu'elle veut...

– Et elle veut un oscar, acheva Brian. Voilà trois fois qu'elle a été mentionnée sans pour autant le décrocher. A présent, elle est décidée à jouer le tout pour le tout.

Il sourit et s'amusa à redresser la boucle d'oreille en améthyste de Tina.

– Et toi, tu n'aimerais pas avoir un oscar?

Cette pensée n'avait encore jamais effleuré l'esprit de Tina.

– Je crois que oui, répondit-elle finalement, mais il faudrait d'abord se mettre au travail avant de penser déjà à la récompense.

– Comment vont les répétitions?

– Bien. Très bien.

Elle sirota, l'air absent, une gorgée de champagne.

– Tu pars bientôt pour Las Vegas?

– Oui. Es-tu venue seule, ce soir?

Elle se troubla.

– Ici? Mais... oui. J'étais en retard parce que j'avais oublié mais, heureusement, Julie m'a rappelée à l'ordre. Elle t'a présenté Lorenzo?

– Non. Nos routes ne se sont pas encore croisées, ce soir.

Il la prit par le menton pour la forcer à le regarder.

– Veux-tu que je te raccompagne?

Elle eut une expression lasse.

– J'ai ma voiture, Brian..

– Ce n'est pas une réponse.

A nouveau, Tina se sentait irrésistiblement attirée vers lui. Il fallait lutter contre cette influence.

– Je ne crois pas que ce serait une bonne idée.

– Tu en es sûre?

Elle perçut le sarcasme derrière ces mots. Mais déjà, il lui souriait et se penchait pour déposer un baiser furtif sur ses lèvres.

– Nous nous reverrons d'ici quelques semaines.

Puis il disparut dans la foule.

Tina le suivit du regard, sans même s'apercevoir qu'elle se passait la langue sur les lèvres pour retrouver le goût de son baiser.

Chapitre 6

Dans la salle de concert sombre et silencieuse, les pas de Tina, amplifiés par l'excellente acoustique de la salle, résonnèrent contre la voûte. Bientôt, la paix serait troublée par les différentes équipes de techniciens, d'électriciens, les accessoiristes, les habilleurs et tous ceux qui surveillaient chaque soir la bonne marche du spectacle.

Les coups sourds du marteau s'élèveraient, mêlés aux voix et aux chocs du bois et du métal. Tous ces bruits résonneraient dans l'immense théâtre vide comme résonnaient à présent les pas de Tina. Et tous étaient importants. Elle les aimait comme elle aimait la paix et le silence de cet instant.

La presse, elle aussi, serait bientôt là, avec ses sempiternelles questions indiscrètes. Tina commençait à s'habituer à la bonne douzaine de versions sur sa collaboration, avec Brian, à la musique de *Fantasy*. Nombre de journaux avaient exhumé de vieilles photos de leur ancienne idylle et renouvelaient commentaires et spéculations en tout genre.

Deux fois par semaine, Tina appelait au téléphone la clinique *Fieldmore* pour échanger presque toujours les mêmes mots avec le Dr Karter.

Puis il transmettait sa communication à la chambre de sa mère. Chaque fois, Tina recommençait à croire les promesses et les vœux éperdus de la malade. Contre toute logique, elle se remettait à espérer. Au fond, c'était plutôt une chance d'avoir à consacrer à cette tournée de concerts tout ce qu'elle avait d'énergie et de volonté. Sinon, Tina se serait effondrée, brisée par l'émotion et l'angoisse.

Elle monta sur la scène d'où elle contempla la salle déserte. Les rangées de sièges formaient autant de vagues qui ondulaient vers elle. Dès son premier concert, la chanteuse avait su naviguer sur cette mer-là. Elle savait de façon innée comment affronter un public, de même qu'elle avait reçu le don d'une voix naturellement riche et mélodieuse. L'anxiété qu'elle éprouvait à cet instant même n'était pas celle de la chanteuse mais de la femme. Obsédant, le même refrain hantait sa mémoire. Elle songea qu'il était dangereux de s'abandonner au souvenir mais l'impulsion fut la plus forte et elle se mit à chanter.

> Malgré les nuages et la pluie,
> Tu m'as cherchée
> Et quand le soleil a brillé
> Il nous a réunis.

Trop sentimentale, sa chanson? Tina ne s'en était pas préoccupée quand elle en avait écrit les paroles. A présent, elle chantait enfin ce qu'elle n'avait plus osé interpréter depuis des années : deux minutes et quarante-trois secondes de tendresse partagée avec Brian. Quand on passait cet air à la radio, elle tournait aussitôt le bouton et jamais elle n'avait consenti – malgré les nombreuses requêtes de son public – à l'insérer dans un album ou dans un programme de concert.

Mais, maintenant, Tina se sentait prête à affronter ses souvenirs. Elle se rappelait l'écho clair et métallique de la voix de Brian se mêlant à ses propres accents sombres et sensuels. A présent, elle souffrait moins qu'elle ne le craignait. Bien sûr, cette mélodie évoquait encore une mélancolie tenace, mais il s'y ajoutait maintenant une sensation nouvelle, agréable, presque sensuelle. Tina se souvint de la soirée au cours de laquelle Brian l'avait tenue dans ses bras sur les collines de Los Angeles.

Une voix perça soudain le silence.

– Je ne t'avais jamais entendue chanter cela.

Saisie, Tina scruta un point obscur de la salle.

– Oh! Marc!

Soulagée, elle se mit à rire.

– Bon sang, tu m'as fait une peur bleue. Je pensais qu'il n'y avait pas ici âme qui vive.

– Je ne voulais pas te déranger. Cette chanson... je n'en avais entendu que la maquette.

Il sortit de la pénombre. Tina remarqua qu'il portait une guitare en bandoulière. C'était bien typique de lui qu'on voyait rarement sans un instrument quelconque dans les mains.

Marc reprit :

– Je croyais que tu ne l'aimais pas assez pour la conserver à ton programme. En réalité, elle est extraordinaire. Mais j'imagine que tu n'as pas envie de la chanter avec un autre que Brian.

Tina lui lança un regard sincèrement surpris. Comme ce raisonnement était juste et subtil! Elle en prenait conscience pour la première fois.

– Tu as raison, je crois que je n'aurais voulu personne d'autre comme partenaire.

Elle lui sourit.

– Et c'est toujours le cas. Tu es venu répéter?

– J'ai appelé ton hôtel où Julie m'a dit que tu étais probablement ici.

Comme il n'y avait pas de siège sur la scène, il s'assit par terre. Tina, suivant son exemple, croisa ses jambes sous elle. Ce jour-là, elle portait un pantalon mordoré et un chandail angora couleur de topaze. Un ensemble lumineux.

– Je suis contente que tu sois venu, dit-elle, sincèrement heureuse de la présence de son camarade. Tu sais, j'aime bien me pénétrer de l'atmosphère du théâtre avant le spectacle.

La tournée en était maintenant à la moitié de la durée prévue : il restait deux semaines de représentations. Tina ferma les yeux en repoussant ses longs cheveux.

– Où sommes-nous? A Kansas City? Dieu du ciel, je frémis à la pensée d'avoir encore à prendre l'avion. J'ai horreur de tous ces va-et-vient. C'est drôle, je décroche toujours vers le milieu de la tournée. Dans un jour ou deux, je retrouverai mon enthousiasme habituel.

Marc grattait doucement les cordes de sa guitare. Il observa les mains de Tina. Fines, brunes et immobiles sur ses genoux – détail qui lui confirma que la jeune femme était détendue.

Elle continuait à bavarder.

– Enfin... je suppose que tout ira bien jusqu'au bout. J'adore la première partie du spectacle, avant mon tour de chant. Le décor de maison de verre est vraiment extraordinaire. De plus, l'orchestre est bon, même depuis le départ de Kelly.

Le nouveau bassiste se débrouille plutôt bien, tu ne trouves pas?

– Il connaît son métier, répondit brièvement Marc.

Tina lui adressa un large sourire et tendit la main pour lui tirer la barbe.

– Toi aussi, dit-elle. Tu me laisses essayer ta guitare?

Docile, Marc fit glisser la bandoulière et lui tendit l'instrument. Bien que guitariste très honnête, elle menaçait régulièrement ses musiciens de jouer publiquement – et affreusement, soulignait-elle – un jour, sur scène.

Pourtant, elle aimait égrener des accords sur les cordes de l'instrument. Il y avait quelque chose d'intime, de rassurant à serrer contre son corps les courbes de l'instrument, qui l'apaisait.

Après deux fausses notes, elle soupira et fronça le nez sous le regard moqueur de Marc.

– Très bien, très bien, je manque de pratique.

– Bonne excuse.

Elle lui rendit l'instrument, puis encercla ses genoux de ses deux bras.

– Tu aurais pu avoir la délicatesse de me dire, par exemple, que cette guitare est mal accordée! Enfin...

Elle l'écouta quelques secondes enchaîner une suite d'accords.

– Au fond, heureusement que tu as choisi la musique. Tu aurais raté ta carrière de politicien faute de diplomatie.

– Tant mieux, je n'aime pas voyager!

Elle éclata de rire et il aima le son riche, profond de sa voix.

– Sur ce plan, tu as parfaitement raison. Comment peut-on supporter de voyager ainsi de ville en ville, jour après jour, à s'épuiser en discours interminables et ingrats? Les musiciens, au contraire, mènent une existence merveilleusement stable.

– On y est aussi tranquille qu'un chat au coin du feu.

– Tu as le sens de la métaphore...

Elle observa les doigts de Marc qui paraissaient doués d'une mémoire autonome.

– J'aime te voir jouer, poursuivit-elle. On dirait que c'est tout naturel. Quand Brian avait commencé à m'apprendre, je...

Elle s'arrêta brusquement. Marc continuait à jouer en sourdine. Ils étaient seuls, complices, dans le théâtre immense et vide.

Instinctivement, Tina commença de fredonner tout doucement, suivant les courbes de la musique, aussi à l'aise que s'ils se trouvaient dans quelque endroit intime et confortable.

Elle n'avait pas exagéré en disant qu'elle se sentait lasse de la tournée mais, à présent, ce moment privilégié d'amitié qu'elle partageait avec Marc lui redonnait singulièrement des forces.

Elle répéta doucement :

– Je suis contente que tu sois venu.

Marc la regarda, le geste suspendu. Dans le silence de la guitare devenue muette, brusquement, il demanda :

– Depuis combien de temps nous connaissons-nous, Tina?

Les pensées de la jeune femme volèrent vers le passé.

– Quatre ans, quatre ans et demi, je crois.

– Cinq ans cet été, corrigea-t-il. C'était au mois

d'août, tu étais en train de répéter ta seconde tournée. Tu portais un pantalon blanc et un tee-shirt décoré d'un motif d'arc-en-ciel. Tu avais les pieds nus et le regard un peu perdu. Carstairs s'était envolé pour Londres un mois plus tôt.

Tina le dévisagea. Elle ne l'avait jamais entendu parler aussi longtemps.

— C'est amusant que tu te souviennes même de ce que je portais. Cette tenue n'avait pourtant rien d'extraordinaire.

— Je m'en souviens parce que je suis tombé amoureux de toi exactement à ce moment-là.

— Oh! Marc!

Elle chercha quelque chose à dire mais ne trouva rien. Alors elle se leva et lui prit la main. Elle savait qu'un homme comme lui ne mentait jamais.

— Une ou deux fois déjà, poursuivit-il, j'ai failli te demander de partager ma vie.

Elle retint son souffle.

— Et pourquoi ne l'as-tu pas fait?

— Parce qu'alors tu aurais été obligée de me dire non, ce qui nous aurait fait mal à tous les deux.

Il posa sa guitare sur ses genoux et se pencha vers Tina pour l'embrasser. Elle lui prit les deux mains qu'elle pressa sur son visage en murmurant :

— Je ne savais pas. J'aurais dû deviner... Pardonne-moi.

— Tu ne l'as jamais oublié, Tina. Tu ne peux pas savoir combien c'est frustrant d'avoir pour rival un souvenir.

Il étreignit ses mains un bref instant puis la libéra.

— Au fond, tant mieux, peut-être. Tu n'aurais

pas été disponible pour moi, autant essayer de ne plus y penser.

Il haussa les épaules.

– Je savais que tu étais le genre de femme pour laquelle un homme est prêt à tout sacrifier. Justement parce que tu ne demandes rien. Cela me faisait peur.

Surprise, elle l'interrompit.

– Vraiment, c'est l'opinion que tu as de moi?

– Oui, il te faut constamment quelqu'un pour veiller sur toi. Et moi, je n'en aurais pas été capable. Comme je n'aurais pas été capable, non plus, de te résister si ç'avait été nécessaire, de savoir te contredire ou de répondre à ton besoin de passion. Pourtant, la vie est faite de ces choses-là. Nous aurions fini par nous faire du mal.

Elle secoua légèrement la tête.

– Mais pourquoi me dis-tu cela maintenant?

– Parce que, tout à l'heure, j'ai compris en te regardant chanter que tu ne serais jamais à moi. D'ailleurs, si je t'avais possédée vraiment, quelque chose de rare et de précieux aurait été perdu.

Il caressa ses cheveux.

– Tu sais... Ce genre de rêve qui vous tient chaud pendant les froides nuits solitaires et qui vous garde encore jeune lorsque l'on vieillit. Tous ces possibles non réalisés qui rendent la vie meilleure...

Tina ne savait plus si elle devait sourire ou pleurer.

– Je t'ai blessé, n'est-ce pas?

Il répondit aussitôt:

– Non.

Tina sut qu'il était sincère tandis qu'il poursuivait:

– Au contraire, je me sens bien avec toi. Et moi, t'ai-je mise mal à l'aise en faisant cet aveu?

Elle lui sourit.

– Non. Moi aussi, je me sens bien avec toi.

Il lui adressa un chaleureux sourire puis se leva et l'aida à se redresser.

– Viens. Je t'offre un café.

Dans sa chambre d'hôtel, Brian échangea ses vêtements de scène contre un jean. Bien qu'il fût plus de deux heures du matin, il se sentait encore porté par le flux d'énergie qui l'avait soutenu pendant le spectacle.

Il décida d'aller tenter sa chance au jeu. Peut-être pourrait-il se faire accompagner par Eddie ou quelque autre musicien de son orchestre dans la tournée des casinos?

Et puis, il y aurait toutes ces femmes qui, Brian le savait, guettaient le moment où il sortirait de sa chambre d'hôtel, parmi lesquelles il n'aurait qu'à faire son choix s'il le voulait. Non, il n'en avait pas envie. Tout ce qu'il désirait, c'était de l'action : boire, jouer aux cartes, n'importe quoi capable d'épuiser l'adrénaline qui emballait son système nerveux.

Il saisit une chemise et le miroir refléta son torse nu et musclé. Des muscles qu'il avait développés quand il n'était encore qu'un adolescent dans les rues de Londres. Il se demanda ce qu'il serait devenu si sa mère n'avait pas insisté pour qu'il prenne des leçons de piano. Sans doute une victime de plus des bas-fonds de la ville. Mais la musique avait été son salut.

A quinze ans, il avait monté son premier orchestre, d'un style rude et violent. Même à cette époque, déjà, les femmes, plus encore que les toutes jeunes filles, avaient été attirées par son magnétisme d'adolescent, à la fois arrogant et sensuel. Insensible à un succès incomplet pour lui, Brian s'échinait à gravir opiniâtrement chaque degré de son art.

Que de temps! Que d'efforts! Le premier disque qu'il enregistra à vingt ans avait été un échec : mauvaise qualité de son et d'arrangement, interprétation à la fois prétentieuse et sans aucune technique. Brian eut le bon sens de reconnaître ses erreurs. Il changea de producteur, travailla dur et enregistra un nouveau disque.

Deux ans plus tard, c'était le succès. Il avait acheté une nouvelle maison à sa famille, envoyé son plus jeune frère à l'université et entamé sa première tournée de concerts aux Etats-Unis.

A présent, à trente ans, il avait l'impression que cette vie itinérante ne s'arrêterait jamais. Tant d'années déjà avaient été consacrées à sa carrière. A présent, il se sentait las de cette existence éternellement errante. Il voulait autre chose, un nouvel équilibre dans sa vie. Bien sûr, il n'était pas question d'abandonner la musique mais elle ne suffisait plus à combler son existence. Ni sa famille à Londres, ni l'argent, ni le succès n'y parvenaient.

Il savait très bien ce dont il avait réellement besoin. Il le savait depuis déjà cinq ans mais, parfois, il en doutait. Pourtant, tout à l'heure encore, une foule avide avait payé plus de trente dollars la place pour l'écouter. Tout cet argent, il pouvait se permettre le luxe de le dépenser en quelques heures de jeu au casino. En fait, il en avait besoin pour calmer sa nervosité, son agitation qui ne l'avaient pas quitté depuis qu'il avait ramené Tina chez elle, l'autre soir, à la fin du dîner.

De nouveau, la colère, la tension, le désir, l'envahissaient. Il se demanda si le remède n'était pas d'obtenir le consentement de Tina. Si une seule fois, rien qu'une fois, elle cédait à ses avances, il était sûr de connaître enfin la paix.

Avec des mouvements impatients, il termina de boutonner sa chemise et quitta la chambre. Pendant une heure, il joua au casino, perdit un peu, gagna un peu, perdit de nouveau. En fait, il était distrait. Contre toute attente, ni le bruit, ni les lumières, ni l'excitation du jeu ne parvenaient à l'apaiser.

Il regagna son hôtel, sa chambre sombre et silencieuse en contraste total avec l'univers bruyant et clinquant qu'il venait de quitter. Sans même chercher à donner de la lumière, il s'assit sur le lit et alluma une cigarette. La tension nerveuse ne s'effaçait pas. Mû par une brusque impulsion, il alluma la petite lampe de chevet et souleva le combiné du téléphone.

Tina dormait profondément. Quand la sonnerie s'éleva, stridente dans la nuit, son cœur fit un bond et des ondes de panique coururent dans ses veines avant même qu'elle ne fût totalement réveillée. Pendant toute son enfance, elle avait connu ces mêmes sonneries de téléphone au milieu de la nuit. Et toujours pour annoncer une catastrophe.

A tâtons, elle chercha le combiné.

– Allô?

– Tina, je sais que je te réveille. Pardonne-moi.

Elle s'efforça de reprendre ses esprits.

– Brian? Il y a quelque chose de grave? Comment vas-tu?

– Oh! Je vais bien. Je suis seulement incroyablement mal élevé...

Tina, soulagée, se laissa retomber sur les oreillers.

– Tu es à Las Vegas, n'est-ce pas?

Elle vit par la fenêtre l'aube poindre et se demanda quelle heure il pouvait être là-bas. Trois heures de moins, probablement.

– Oui, je suis à Las Vegas encore pour une semaine.

– Les concerts ont du succès?

C'était bien d'elle, songea Brian, de ne même pas protester contre cet appel intempestif au milieu de la nuit. Elle acceptait, sans autres complications, qu'il ait envie de lui parler. Il prit une cigarette. Comme il aurait aimé être près d'elle!

– Ils marchent mieux que mes tentatives au jeu...

Tina se mit à rire.

– Tu joues toujours au vingt-et-un?

– Je suis un homme d'habitudes, murmura-t-il. Comment trouves-tu le Kansas?

– Le public était fantastique, l'ambiance formidable d'un bout à l'autre du concert. Ce sont des choses comme celles-là qui me font tenir le coup pendant une tournée. Tu seras là pour mon concert à New York? J'aimerais bien que tu voies le début du spectacle.

– Compte sur moi.

Il s'étendit sur le lit, sa nervosité commençait à s'apaiser.

– J'ai de plus en plus envie d'aller en Cornouailles.

– Tu as l'air fatigué.

– Je ne l'étais pas il y a un instant, mais maintenant, je suis épuisé. Tina...

Il marqua un silence.

– Oui?

– Tu me manques. J'avais besoin d'entendre ta voix. Dis-moi ce que tu vois. Ce que tu vois en ce moment...

– C'est l'aube, répondit-elle, ou presque... Je n'aperçois aucun immeuble. Rien que le ciel. La lumière est plus mauve que grise. Douce, légère...

Elle sourit. Depuis combien de temps n'avait-elle pas vu le jour se lever?

– C'est merveilleux, Brian. J'avais oublié.

– Vas-tu pouvoir te rendormir?

Il avait fermé les yeux. La fatigue, à présent, le submergeait.

– Oui, répondit Tina, à moins que j'aille faire un tour. Remarque, je ne suis pas du tout sûre que Julie apprécie de m'accompagner de si bonne heure.

Brian fit glisser ses chaussures sur le tapis.

– Tu ferais mieux de dormir. Nous aurons tout loisir de contempler l'aube sur les falaises de Cornouailles. Je n'aurais pas dû te réveiller.

– Oh! Je suis contente, au contraire.

La voix de Brian se cassait un peu.

– Brian, tu devrais te reposer. J'espère te voir à New York.

– Entendu. Bonne nuit, Tina.

Il dormait presque avant d'avoir raccroché.

A deux mille cinq cents kilomètres de là, Tina, la joue contre l'oreiller, regardait l'aube se lever.

Chapitre 7

Tina essayait de rester immobile tandis qu'on lui brossait et tirait les cheveux dans tous les sens. Sa loge était inondée de fleurs et remplie de tout un petit monde laborieux : un petit homme mince aux yeux très noirs retouchait son maquillage. Derrière elle, une femme aux doigts de fée marmonnait de temps en temps un français inintelligible tout en arrangeant sa coiffure. Wayne, de passage à New York, discutait avec l'habilleuse. Julie ouvrit la porte pour accueillir un nouvel arrivage de fleurs.

– Dis-moi, Julie, crois-tu que mes bagages sont terminés ? J'aurais dû demander à Brian de m'accorder un jour de plus en ville. Je suis sûre qu'il me manque encore une bonne douzaine de choses utiles.

Tina s'agita sur son siège et entendit la Française grogner sa réprobation.

– Excusez-moi, Marie. Julie, est-ce que j'ai emporté un manteau ? Je pourrais bien en avoir besoin.

Elle prit la carte de visite qui accompagnait le bouquet tout juste arrivé et y lut le nom d'un très célèbre producteur de télévision avec lequel elle avait tourné récemment un programme de variétés.

– C'est Max... Il donne un cocktail, ce soir. Tu devrais y aller, Julie.

Elle tendit la carte à son amie tandis que le maquilleur appliquait du rouge sur ses lèvres.

Occupée à vérifier la liste des ultimes préparatifs, Julie répondit distraitement :

– Oui, tu as pris un manteau. Ton loden. Je crois, en effet que tu en auras besoin car le printemps est encore frais là-bas. Tu as aussi plusieurs chandails. Ah oui! J'irai peut-être à cette soirée...

– Je n'arrive pas à croire que c'est ce soir le dernier concert. La tournée a été bonne, tu ne penses pas?

Tina fit mine de tourner la tête et grimaça en sentant les pointes du peigne s'enfoncer dans son crâne. Julie la rassura :

– Elle n'aurait pas pu se passer mieux...

– Et nous sommes ravies que tout soit fini, acheva Tina à la place de son amie.

Julie arrangea les fleurs dans un vase.

– Je me sens capable de dormir une semaine d'affilée! Tout le monde n'a pas ton exceptionnelle énergie.

– J'adore chanter à New York, déclara Tina.

Elle s'agita de nouveau, au grand désespoir de sa coiffeuse.

– Tenez-vous tranquille!

– Marie, si je ne peux pas bouger, je vais exploser.

Elle sourit au maquilleur qui papillonnait, laborieux, autour de son visage.

– Vraiment, vous savez travailler. Quel résultat extraordinaire! Je me sens tout bonnement splendide!

Julie commençait à chasser tout le monde hors

de la loge. Bientôt, il serait l'heure de monter sur scène. Il ne restait plus qu'elle et Wayne auprès de Tina. Déjà on entendait résonner la musique de la première partie du spectacle. La vedette laissa échapper un long soupir.

– J'aimerais bien retrouver mon vrai visage, mon vrai corps, mes vrais cheveux... Vous n'imaginez pas tout ce que ces gens ont fait de moi depuis ce matin...

Wayne se mit à rire et se tourna vers Julie.

– Et toi, où vas-tu aller quand notre belle princesse s'envolera pour l'Angleterre?

– Je crois que je vais faire une croisière en Grèce, histoire de reprendre des forces...

L'air absent, elle appuya une main au creux de ses reins.

– J'ai déjà pris mon billet. Départ le 9. Ces tournées m'épuisent littéralement.

Tina ricana en étudiant d'un air critique son reflet dans la glace.

– Ecoute-la... C'est elle qui depuis quatre semaines me mène à la baguette. Vous ne trouvez pas que ce maquillage me donne un air plutôt... exotique?

Elle plissa le nez.

– Enfile ta robe, dit Julie.

– Tu vois? Des ordres, toujours des ordres.

Mais, docile, elle se leva pour que Wayne l'aide à passer la longue robe rouge et argent qu'il avait dessinée pour elle.

– Tu sais, Wayne, tu avais raison à propos du costume noir. Il a eu un extraordinaire succès et je ne sais jamais si c'est lui ou moi que le public applaudit à la fin...

Il rétorqua, lissant un faux pli :

– T'ai-je jamais mal servie?

Elle se retourna pour lui sourire par-dessus son épaule.

– Non. Jamais. Est-ce que je vais te manquer?

– Tragiquement.

Il déposa un baiser sur son oreille. Un coup discret fut frappé à la porte de la loge.

– Dix minutes, mademoiselle Williams.

Tina respira profondément.

– As-tu l'intention d'aller dans la salle?

– Je vais rester dans les coulisses avec Julie.

– Parfait, commenta l'intéressée. Maintenant, Tina, n'oublie pas de mettre tes superbes boucles d'oreilles.

Tina s'exécuta tandis que son amie poursuivait :

– Tu sais, Wayne, elles vont à merveille avec cette robe.

– Bien sûr.

Julie éclata de rire et dit à Tina :

– Décidément, la vanité masculine ne cessera jamais de m'étonner.

Suave, Wayne rétorqua du tac au tac :

– Du moment qu'elle est à la mesure du talent...

– Le public de New York est le plus exigeant de tous... commença Tina, la voix tendue.

Elle sentait l'excitation la gagner.

– J'en ai une peur bleue.

Wayne prit une cigarette et en offrit une à Julie.

– Je croyais que tu aimais te produire à New York?

– Oh! J'adore! Surtout à la fin d'une tournée. C'est la dernière épreuve qui vous aide à garder la forme. Ils vont voir de quoi je suis capable. Comment suis-je?

– La robe est sensationnelle, déclara Wayne. Tu t'en sortiras.

– C'est fou ce que tu es encourageant.

Déjà, Julie la pressait.

– Tu vas rater ton entrée.

– Je ne rate jamais mon entrée... protesta aussitôt Tina.

Il a dit qu'il serait là, pensa-t-elle. *Pourquoi n'est-il pas venu?* Peut-être n'en avait-il pas eu le temps. A moins qu'un embouteillage... Ou alors il avait oublié sa promesse.

Un deuxième coup fut frappé à la porte.

– Cinq minutes, mademoiselle Williams.

– Tina... commença Julie.

– Oui, voilà, voilà.

Elle se tourna vers ses deux amis et leur adressa son plus radieux sourire.

– N'oubliez pas de me dire après le spectacle que j'ai été merveilleuse. Même si ce n'est pas vrai. J'ai besoin de me sentir tout à fait bien à la fin d'une tournée.

Déjà, elle se précipitait hors de la loge et courait le long du couloir qui menait à la scène tandis que les dernières mesures de la première partie faisaient trembler les murs.

– Mademoiselle Williams, mademoiselle Williams! Tina!

Elle se retourna, brusquement interrompue dans l'effort de concentration qu'elle accomplissait toujours avant d'entrer en scène. Le régisseur courait à sa rencontre, une rose blanche à la main.

– Pour vous. Elle vient d'arriver.

Tina saisit la rose encore en bouton et en

respira le parfum délicat. Elle n'avait pas besoin de message pour savoir que cette attention venait de Brian.

– Tina...

Le régisseur s'inquiétait. La première partie venait juste de s'achever et l'orchestre de la vedette se mettait en place derrière les rideaux refermés.

– Dépêchez-vous. Vous allez manquer votre entrée en scène.

– Bien sûr que non.

Sans songer au rouge à lèvres soigneusement appliqué par le maquilleur quelques minutes plus tôt, Tina embrassa le régisseur et, tournant la rose entre ses doigts, gagna les coulisses.

Concentre-toi. Ne laisse pas retomber l'ambiance.

Déjà, le public l'appelait, l'acclamait. *Trente secondes. Respire profondément.* L'orchestre entamait les premières mesures d'introduction qui se mêlèrent aux cris de la foule. *Un, deux, trois!*

Elle bondit sur scène et plongea dans un tourbillon d'applaudissements.

La première série de chansons était cadencée et rapide afin de maintenir une ambiance explosive.

Tina était un oiseau de feu, bougeant et vibrant sous les lumières clignotantes qui l'inondaient. Elle savait communiquer le meilleur d'elle-même à son public. Elle le comprenait, lui transmettait toute la force et l'émotion qu'elle avait accumulées au long de ces quatre semaines de concerts.

Il faisait chaud sous les sunlights mais Tina ne s'en apercevait même pas. C'était comme si la musique et la chaleur du public l'enveloppaient, la protégeaient.

Sa robe étincelait, féerique. Et sa voix envoûtait.

A la fin des quarante premières minutes, elle devait disparaître en coulisse pendant un bref intermède instrumental pour échanger sa robe rouge contre un ensemble dont le haut, très décolleté, était entièrement rebrodé de perles brillantes. Le pantalon de fin voile blanc moussait, vaporeux, autour de ses jambes pour se resserrer aux chevilles.

Le rythme de cette seconde partie était plus lent afin de permettre au public de reprendre souffle. De sa voix chaude et caressante, Tina interprétait les ballades qu'elle aimait tant. L'éclairage était tamisé, tendre.

Elle avait l'habitude de s'adresser au public entre deux chansons et ce fut au cours de l'un de ces intermèdes qu'elle remarqua un mouvement d'agitation dans la salle. Ses yeux scrutèrent la pénombre.

C'est à ce moment-là qu'elle le vit. Brian était dans les rangs et la foule l'avait reconnu.

Tina comprit tout de suite qu'on le poussait sur la scène et que, si elle ne suivait pas le mouvement, son public serait déçu.

– Brian... lança-t-elle dans le micro.

Elle sentait qu'il la regardait.

La voix légère, elle poursuivit :

– Si vous venez chanter avec moi, vous aurez peut-être la chance de vous faire rembourser votre billet d'entrée.

Il y eut un mouvement de foule, des applaudissements, des cris. Et, soudain, Brian fut là, à côté d'elle, sur la scène.

Il était tout en noir : son costume parfaitement coupé et son pull-over fin formaient un contraste tellement saisissant avec la tenue immaculée de Tina qu'on aurait pu croire cet effet combiné à l'avance.

Brian lui sourit et murmura, hors de portée du micro :

– Je suis désolée, Tina. Mais je voulais te voir de la salle.

Elle secoua légèrement la tête. En fait, c'était tout simplement merveilleux de le sentir là, tout près.

– Apparemment, dit-elle dans le micro, on attend beaucoup de vous. Alors... montrez-nous un peu vos talents.

Sans lui laisser le temps de répondre, le public se mit à scander : « *Nuages et Pluie, Nuages et Pluie* ! »

Le sourire de Tina s'évanouit mais Brian lui prit la main en murmurant :

– Tu te souviens encore des paroles, n'est-ce pas ?

Un technicien se précipita sur scène pour munir Brian d'un micro.

– Mon orchestre ne connaît pas cette chanson, souffla Tina.

– Moi, je la connais...

C'était Marc qui s'avançait vers eux. La foule continuait sans désemparer de crier et de scander le titre espéré.

– Je peux vous accompagner, insista Marc.

Brian tenait toujours la main de Tina dans la sienne. La main dans laquelle elle serrait encore la rose qu'il lui avait donnée.

C'était une chanson qu'il fallait chanter les yeux dans les yeux, visage contre visage. Plus qu'une mélodie, c'était une caresse, un aveu. A présent le public demeurait silencieux. L'harmonie de leurs voix s'élevait, si intime, que Tina songea qu'ils ne pouvaient être plus proches. Leurs deux voix se cherchaient, se mêlaient et, bientôt, elle oublia le public, la scène et même les cinq longues années enfuies.

En cet instant, elle ne pouvait plus lui résister. Et, tandis qu'il chantait, c'était comme s'il lui avouait que personne d'autre qu'elle ne comptait pour lui. Qu'il n'y avait *jamais* eu personne d'autre... C'était plus troublant qu'un baiser, plus érotique qu'une caresse.

Quand ils eurent fini, leurs deux voix encore scellées l'une à l'autre en un ultime écho, Brian vit les lèvres de Tina trembler et il se pencha pour y déposer un baiser.

Ils auraient pu aussi bien être sur une île, loin de la scène, loin de la foule. Elle n'entendait même plus les applaudissements frénétiques, les cris de joie et leurs noms hurlés par des milliers de bouches. Le micro dans une main et la rose dans l'autre, elle enlaça Brian tandis que les caméras et les flashes cliquetaient et lançaient des éclairs autour d'eux. Le temps n'avait plus d'importance, ce baiser aurait pu durer des heures ou des jours entiers.

Brian s'écarta enfin d'elle et lui sourit.

– Tu as été plus merveilleuse que jamais, Tina.

Il lui baisa la main.

– Malgré tout, certaines chansons sont encore un peu trop sentimentales pour mon goût...

Elle rétorqua, malicieuse :

– Quand je pense que tu essaies de redresser

ta carrière vacillante en chantant avec moi et que tu me critiques...

Ils saluaient maintenant tous les deux, main dans la main.

– Oh! Mais le spectacle n'est pas encore terminé pour toi, répondit-il. Remercie-moi plutôt d'avoir réchauffé l'ambiance.

Il salua le public d'un dernier geste de la main et disparut dans les coulisses. Tina prit son micro et dit avec un grand sourire :

– Je l'ai trouvé plutôt décevant... Pas vous?

Un hurlement collectif lui répondit.

Après les deux heures épuisantes de spectacle, la vedette aurait dû se sentir harassée. Et pourtant ce n'était pas le cas. Elle avait donné trois *bis* et le public en aurait exigé davantage si Brian n'avait pas retenu Tina dans les coulisses.

– Arrête, Tina. Sinon, ils te garderont toute la nuit.

Il sentait sous ses doigts la pulsation accélérée au poignet de la jeune femme. Lui aussi connaissait l'extraordinaire excitation que l'on ressentait en sortant de scène.

Tandis qu'il l'entraînait vers sa loge, des groupes animés de spectateurs affluaient déjà sur leur passage pour les féliciter.

Quelques journalistes réussissaient même à se faufiler pour les assaillir de questions. Brian poussa Tina à l'intérieur de la loge et referma la porte à clé.

– J'ai vraiment l'impression qu'ils m'aiment, commenta-t-elle avec une soudaine gravité.

Puis, sans transition, elle se mit à rire et esquissa un pas de danse.

– Je me sens si bien...

Ses yeux tombèrent tout à coup sur un seau à glace.

– Du champagne?

Brian sortit la bouteille.

– Je me suis dit que tu en aurais besoin après l'échec retentissant que tu viens d'essuyer...

– J'ai fait de mon mieux...

Le bouchon sauta, libérant la mousse blanche et joyeuse qui recouvrit le goulot de la bouteille.

Brian lui tendit une coupe.

– Cette fois, je ne plaisante pas, Tina.

Cristal contre cristal, le tintement clair célébra la fête.

– Tu n'as jamais été aussi sublime.

Elle sourit et porta le verre à ses lèvres. Le feu du désir courait à nouveau dans ses veines. Ensemble, ils reposèrent leurs coupes sur la table.

– Il y a encore quelque chose que j'ai à faire avec toi, ce soir, murmura-t-il.

Aussitôt, il fut tout près d'elle et, très lentement, approcha sa bouche des lèvres de Tina.

Leur baiser fut long, intense, profond, et la bouche de Brian était chaude et ardente sur la sienne.

Elle ne résista plus et s'abandonna à la fièvre de l'étreinte. Mais il voulait encore plus. Il voulait que Tina le désirât, elle aussi, et le lui montrât.

La passion courut, enivrante, dans les veines de la jeune femme. Ils étaient corps contre corps et les doigts de Brian, à travers le mince tissu de sa robe, la brûlaient comme autant de braises.

Elle le voulait. Désespérément. Et sa hâte lui faisait peur.

Il la repoussa légèrement pour étudier son visage avec attention. Les yeux de la jeune femme reflétaient comme une eau pure les émotions qui l'agitaient.

— Tu es vraiment magnifique, l'une des plus belles femmes que j'aie jamais connues.

Elle fit un pas en arrière et se sentit vaciller.

— L'une d'entre elles, seulement? lança-t-elle d'une voix faussement légère.

Elle leva sa coupe de champagne.

Brian sourit et l'imita.

— C'est vrai que je connais beaucoup de femmes... Dis-moi, pourquoi ne retires-tu pas tout ce maquillage qui te cache le visage?

— Tu n'imagines pas les longues heures qu'il a fallu pour ce résultat-là. C'est mon visage de star.

— Je n'aime pas que tu aies l'air d'une star, justement.

Elle s'approcha du miroir. Dans la glace, il avait une expression curieusement grave.

— Je suppose que je dois prendre cette déclaration comme un compliment?

Elle barbouilla une généreuse couche de crème sur ses joues.

— Et maintenant, tu me préfères ainsi?

Brian eut une moue comique.

— Tu sais très bien ce que je voulais dire!

Elle continua son travail de démaquillage.

— Tu sais, j'ai trouvé merveilleux de chanter avec toi. C'est formidable.

Elle se mordilla la lèvre, hésitante, avant de poursuivre :

— En tout cas, les journalistes en ont eu pour

leur compte. Tu vas voir le tapage dans la presse
– surtout après la façon dont nous avons conclu
la chanson.

– J'ai aimé cette façon-là, répondit Brian.

Il posa ses mains sur les épaules de la jeune
femme.

– Je voudrais qu'elle se termine toujours
ainsi.

Il écarta quelques mèches de sa nuque pour
l'embrasser dans le cou.

– La presse t'inquiète, Tina?

– Non... bien sûr que non. Mais...

Sans prévenir, il la fit tourner sur elle-même et
saisit ses lèvres entre les siennes avec une fougue
si sauvage qu'elle dut lutter pour retrouver son
souffle. Bientôt, la passion, de nouveau, obscurcit
sa vision.

Quand il la libéra enfin, elle eut besoin de
plusieurs secondes pour recouvrer son calme.

– Est-ce que tu désires te changer avant de
laisser entrer la foule de tes admirateurs?

Il l'observait maintenant, une étrange expression sur le visage.

– Oui... oui. Mais...

Elle jeta un regard un peu perdu autour
d'elle.

– ... Je ne sais plus où sont mes vêtements!

Brian éclata de rire.

Brusquement soulagée, Tina rit avec lui.

Au milieu des innombrables fleurs et des costumes de scène jetés çà et là sur les chaises, ils
entreprirent de chercher son jean et ses tennis.

Chapitre 8

Il était déjà tard lorsqu'ils gagnèrent l'aéroport. Toujours soutenue par l'excitation que le concert avait distillée, comme une drogue, dans ses veines, Tina bavardait de tout et de rien. Le croissant de la lune étincelait dans le ciel profond tandis qu'ils traversaient la piste d'atterrissage pour rejoindre le jet privé de Brian.

La décoration luxueuse de la cabine surprit Tina.

Le tapis épais, les fauteuils de cuir, le bar l'émerveillèrent par leur raffinement.

– Je ne savais pas que tu avais quelque chose de semblable, murmura-t-elle, éblouie.

Elle entreprit d'explorer l'intérieur, découvrit une autre pièce, tout aussi sophistiquée, ainsi qu'une salle de bains complètement équipée.

Brian s'étendit nonchalamment sur le canapé recouvert de fourrure.

– J'ai acheté cet engin il y a environ trois ans.

Il l'observait tandis qu'elle musardait dans l'appareil, se répétant qu'il préférait décidément son visage nu et sa silhouette mince, seulement vêtue d'un jean délavé et d'un large chandail jaune, aux toilettes et au maquillage étincelants de la star.

– Tu as toujours aussi peur en avion?

– Oui... De plus en plus, à vrai dire.

Elle errait, nerveuse, dans la cabine. Amusé, Brian lui lança :

– Je t'en prie, reste tranquille. Assieds-toi et mets ta ceinture. Nous allons bientôt partir.

Elle obéit tandis que Brian signalait au pilote qu'ils étaient prêts. Quelques minutes plus tard, l'avion s'arrachait de la piste et montait vers le ciel.

– Je sais ce que tu ressens, dit Brian en la regardant. Moi aussi, à la fin d'un concert, je suis encore surtendu, incapable de retrouver mon calme, de laisser la fatigue m'envahir. J'étais justement dans cet état-là lorsque je t'ai téléphoné l'autre nuit de Las Vegas.

– J'ai l'impression que seul un bon jogging parviendrait enfin à m'épuiser, répondit Tina.

– Tu veux du café?

– Oui, merci.

Derrière les hublots la nuit envahissait l'univers.

– Et puis tu me raconteras un peu toutes les belles idées qui te sont déjà sûrement venues pour notre partition, cher maître.

Des tasses s'entrechoquèrent derrière elle.

– J'en ai pas mal, c'est vrai, répondit Brian. J'imagine que cela doit être aussi le cas pour toi?

Il ponctua sa réplique d'un rire taquin.

– A ton avis, quand crois-tu que nous allons commencer à nous chamailler, belle enfant?

– Bien assez tôt, je n'en doute pas!

Brusquement, une ombre passa sur le visage de la jeune femme. Elle pensait à présent à sa mère qu'elle n'avait revue qu'une fois depuis son départ en tournée. Depuis Chicago, en effet, elle avait usé de son seul jour de repos pour accomplir un incroyable aller et retour afin d'embrasser la malade. Une fois de plus, sa mère avait supplié, promis, pleuré... Mais son visage n'avait déjà plus la même teinte cireuse et elle avait repris du poids. A nouveau, Tina se reprenait douloureusement à espérer.

Brian l'observait.

– Qu'y a-t-il? Tu es soucieuse.

Elle secoua la tête. Non, l'heure était mal choisie pour la mélancolie.

– Rien. Rien, vraiment...

Derrière Brian, la bouilloire se mit à chanter.

– Tu veux ton café noir?

Elle hocha lentement la tête et s'installa sur le canapé. Bientôt, Brian revenait avec un plateau. Un curieux silence les enveloppa tandis qu'ils se regardaient.

– A quoi penses-tu? demanda-t-elle la première.

La fatigue, tant désirée quelques minutes plus tôt, commençait brusquement à l'engourdir.

– Je me souviens...

Elle ferma les yeux.

– Les souvenirs sont dangereux, Brian.

Il sirota son café sans la quitter des yeux.

– Il m'est difficile de les oublier, pourtant...

Il percevait en elle la crainte, la méfiance qui la tenaient toujours si éloignée de lui. C'était vraiment là le cœur de leur problème. Elle se refusait à lui faire confiance.

– Je te désire toujours, Tina. Tu le sais, n'est-ce pas?

Elle ne répondit pas mais il vit battre une

veine sur son cou. Quand elle parla enfin, sa voix était calme.

– Nous sommes ensemble pour travailler, Brian. Il vaut mieux ne pas compliquer les choses.

Il rit doucement, sincèrement amusé. Les paupières de Tina se fermaient peu à peu, alourdies de sommeil. Il alla s'asseoir près d'elle et, le plus naturellement du monde, l'enlaça. Bien qu'elle cherchât faiblement à résister, il ordonna :

– Allons, détends-toi.

Elle tourna lentement la tête vers lui, le regard immense, éloquent. L'instant d'après, elle était endormie au creux de son épaule.

Le temps passa, paisible, tandis qu'elle reposait comme une enfant contre lui. Puis Brian l'installa précautionneusement sur le canapé et alla éteindre les lumières. Installé confortablement dans un fauteuil, il alluma une cigarette et, bientôt, se sentit incapable de résister davantage à la tentation d'aller s'étendre à côté d'elle. Il s'approcha du canapé et écarta quelques mèches qui barraient le visage endormi de la jeune femme.

Tout doucement, il s'allongea sans la réveiller, l'entendit soupirer, glissa un bras autour de sa taille et s'endormit à son tour.

C'est lui qui se réveilla le premier. Allongé sur le dos, il laissa ses yeux s'accoutumer à la demi-pénombre, le temps de laisser son esprit lui revenir. A côté de lui, Tina respirait doucement, encore profondément endormie, chaude, désirable. Il aurait pu très facilement profiter de son demi-sommeil pour vaincre ses résistances et la séduire. Mais il ne voulait surtout pas tirer le moindre avantage de sa faiblesse. Il la voulait, oui, mais totalement lucide, totalement consentante. Une aube pâle éclairait les hublots. En soupirant, il se leva sans faire de bruit.

En préparant du café à la cuisine, il songea avec gourmandise au bon petit déjeuner qu'ils pourraient bientôt prendre après l'atterrissage. Ce serait sûrement meilleur que cette mixture instantanée dont il disposait pour l'instant.

Quelques indices l'avertirent que Tina se réveillait. Il jeta un coup d'œil sur le canapé où elle s'étirait en gémissant, à la recherche d'un oreiller hypothétique pour y enfouir son visage. Déçue, elle poussa un soupir de dépit et, lentement, ouvrit les yeux.

Brian lui sourit :

– Bonjour!

L'œil vague, elle bredouilla :

– Du café...

– Tout de suite, princesse!

Derrière lui, justement, la bouilloire commençait à siffler.

– Tu as bien dormi?

Elle se redressa au prix d'un effort méritoire.

– Il est encore trop tôt pour le dire, murmura-t-elle.

Brian disparut dans la cuisine et revint presque aussitôt avec deux tasses fumantes sur un plateau.

– Tiens, bois ça. Tu te sentiras mieux.

Elle prit le café avec reconnaissance tandis qu'il s'asseyait près d'elle. Elle but en silence le breuvage chaud et fort sous l'œil attentif de Brian. Quand la tasse fut vide, elle esquissa un vague sourire.

– Pardonne-moi, mais je ne suis jamais très en forme, le matin. Surtout de bonne heure.

Elle chercha la montre de Brian du regard et tenta un obscur et vain calcul du décalage horaire avant d'avouer :

– Je n'ai aucune idée de l'heure.

Les bras écartés, elle constata en bâillant :

– De toute façon, il va me falloir plusieurs jours avant de m'habituer aux nouveaux horaires.

– Un bon repas te fera du bien.

Tina grimaça.

– Je crois que je préférerais dormir encore un peu... Quand atterrissons-nous?

– Dans moins d'une heure, probablement.

– Tant mieux. Moins je passe de temps dans un avion, mieux je me porte...

Elle fit une petite moue.

– Excuse-moi, Brian. J'ai dû être une piètre compagne.

Il l'observait par-dessus sa tasse.

– Tu as des excuses : tu étais épuisée.

– Je me suis endormie comme une pierre, admit-elle. C'est toujours pareil après un concert.

Son regard commençait à devenir plus vif.

– Et toi, où as-tu dormi?

– Avec toi.

Tina se figea.

– Quoi?

– Je dis que j'ai dormi ici, avec toi.

Il désigna le canapé d'un geste large.

– Tu as aimé te blottir contre moi.

Elle eut l'impression qu'il prenait plaisir à son désarroi.

– Comment as-tu osé...

– J'ai toujours rêvé d'être ton premier amant... commença-t-il.

Il avala sa dernière gorgée.

– Tu veux encore du café?

Le visage de la jeune femme était pâle comme la mort. Elle eut un geste si brusque que Brian dut s'écarter vivement pour éviter un coup.

Elle se leva, la respiration oppressée.

– Ne fais pas le malin avec moi, menaça-t-elle, furieuse. Tu ne sais même pas combien d'amants j'ai déjà eus.

Il prit son temps pour ranger les tasses sur le plateau et la regarda posément.

– Voyons, Tina, tu es aussi vierge qu'au jour de ta naissance. Tu n'as presque jamais flirté et encore moins...

La réponse fusa, rageuse.

– Tu ne sais rien – et pour cause – de ma vie et de mes relations durant ces cinq dernières années, Brian.

Elle avait du mal à se retenir de crier.

– D'ailleurs, elles ne te regardent pas!

Il l'observait pensivement.

– Tina... Tu n'as pas à avoir honte de ton innocence.

– Je ne suis pas... Tu n'as pas le droit...

Elle serra les poings et balbutia, à court d'arguments :

– ... de profiter de moi pendant que j'étais endormie.

Très calme, Brian s'étendit sur le canapé.

– Profiter de toi? Te violer, tu veux dire?

L'humour que Tina percevait dans sa voix l'humilia davantage.

– Si tel avait été le cas, poursuivit-il, tu n'aurais sans doute pas continué à dormir, ma chérie.

– Ne te moques pas de moi, s'il te plaît.

– Alors, ne dis pas de bêtises.

Il prit une cigarette dont il tapota le bout sur la table basse. Toute trace de malice avait disparu de ses yeux.

– Cela dit, tu as raison. J'aurais pu aisément disposer de toi si je l'avais voulu.

– Bravo! Tu as vraiment une insolence extraordinaire, Brian. Je te prie de te rappeler que tu n'as aucun droit de regard sur ma vie privée, et encore moins sur ma vie intime. Je choisis les amants que je veux.

Brusquement, sans crier gare, Brian tendit un bras et la saisit brutalement par le poignet pour l'attirer près de lui. Jamais, depuis qu'elle le connaissait, elle ne l'avait vu aussi furieux. La panique chassa sa propre colère. Un cri s'étrangla dans sa gorge tandis que les doigts de Brian serraient son poignet dans un étau d'acier.

– Ne me pousse pas à bout, Tina.

Dans sa voix aux inflexions mordantes, on percevait plus nettement que d'habitude les traces d'accent irlandais.

– Ne me jette pas tes amants imaginaires à la tête ou je te jure que tu vas découvrir dans la minute qui suit ce que le mot « amant » signifie réellement.

De l'autre main, il enserra la gorge de la jeune femme.

– Je ne supporte pas que tu me mentes, continua-t-il. Si je le voulais, je pourrais te prendre maintenant et je te jure que, dans cinq minutes, tu serais parfaitement consentante.

Son visage était si près de celui de Tina que leurs deux respirations se mêlaient dans un même rythme saccadé. Finalement, Brian jura entre ses dents et se leva brusquement pour s'approcher d'un hublot pendant que Tina, troublée et presque terrorisée, l'observait en se massant le poignet.

Il prit une longue inspiration :

– J'ai dormi près de toi parce que j'en avais besoin. Voilà tout. Rassure-toi, je ne t'ai pas touchée. Pas une minute, je n'ai pensé que ma présence t'offenserait à ce point. Excuse-moi.

Tina se couvrit les yeux de la main pour dissimuler les larmes qui perlaient à ses paupières. Un sanglot s'étouffa dans sa gorge tandis que la honte et le remords l'envahissaient. Elle comprenait enfin que Brian n'avait pas voulu autre chose que lui témoigner de l'affection et, elle, elle l'avait remercié en lui jetant sa colère et son mépris au visage.

Seules la gêne et la peur pouvaient expliquer sa réaction mais surtout, Tina le savait, le désir qu'elle avait de lui la rendait excessivement agressive. Tout ce qu'elle avait gagné, à présent, c'était de lui avoir fait de la peine.

Repentante, elle murmura timidement.

– Brian... Je te demande pardon. J'ai été odieuse et stupide. Si tu savais comme j'ai honte. Je... j'étais embarrassée. Je voulais te provoquer, je crois. Mais...

Les mots moururent sur ses lèvres.

Brian jura doucement entre ses dents et entoura les épaules de la jeune femme.

– Je t'ai fait peur, hein ? Avoue !

– Je dois reconnaître que tu t'y connais pour intimider les gens. Mais je n'ai pas davantage d'excuses. Je ne sais plus ce que je dis quand je suis en colère.

– Moi non plus, apparemment. Ecoute, Tina...

Il se retourna pour l'observer. Les yeux de la

jeune femme étaient immenses et remplis de larmes.

– Je suis désolé... J'ai perdu mon sang-froid. Cela ne m'arrive pas souvent car je sais que je suis plutôt du genre violent. Mais je dois reconnaître que tu as le don de miner mes résistances.

Il paraissait tout à fait calmé à présent et réussit même à lui sourire.

– Visiblement, nous n'avons pas perdu de temps pour nous chamailler.

Elle sourit elle aussi.

– Non... Je crois bien que j'ai le caractère un peu vif.

Elle s'approcha de lui et déposa un rapide baiser sur ses lèvres.

– Pardon, Brian.

– Tu t'es déjà excusée...

– Eh bien, la prochaine fois, ce sera ton tour.

Brian lui ébouriffa les cheveux.

– Nous avons encore le temps de nous préparer un autre café.

Tina hocha rapidement la tête. Ses pensées, à nouveau, volèrent en arrière et elle se rappela leur scène de rupture, cinq ans plus tôt. Il la désirait. Elle le voulait, elle aussi. Mais tout était allé de travers. Quand il avait voulu la toucher, Tina s'était mise à crier, au bord de l'hystérie. Tout d'abord, Brian s'était montré patient puis, voyant qu'elle le refusait toujours, avait changé du tout au tout. Il était devenu glacial et comme indifférent. Plus aucun mot n'avait été échangé entre eux et, quelques jours plus tard, il quittait définitivement la Californie sans un adieu.

Tina avait cherché à l'oublier en s'absorbant

dans la musique et le tourbillon des concerts et des séances d'enregistrement. Oui, cela valait mieux, décida-t-elle encore. Elle ne devait plus avoir avec lui qu'une relation purement professionnelle. Mais il fallait rester sur ses gardes. Il pouvait encore trop facilement la bouleverser...

Elle prit une longue inspiration et rejoignit Brian à la cuisine pour l'aider à préparer le café.

Chapitre 9

Tina tomba immédiatement amoureuse de la Cornouailles. Le paysage, dans sa fraîcheur, ne semblait pas avoir changé depuis l'époque des chevaliers de la Table Ronde et elle s'imagina presque entendre encore le galop des chevaux, le fracas des épées s'affrontant en duel et voir claquer les bannières royales au vent...

Le printemps commençait juste à reverdir la lande où, déjà, quelques fleurs pointaient ici et là. Une bruine légère ajoutait au charme romantique du décor. Dans les petits cottages, les jardins commençaient à refleurir. Sur les pelouses d'un vert tendre et délicat, Tina remarqua déjà des jonquilles d'un jaune insolent ainsi que des jacinthes dont le bleu pâle apparaissait à l'orée des bois.

La voiture de Brian filait vers le sud de la côte et les falaises de Land's End.

A leur arrivée à l'aéroport, après un solide petit déjeuner avec œufs, bacon et petits pains, ils avaient pris possession de la voiture que Brian avait réservée pour leur arrivée.

– Comment est ta maison, Brian? demanda Tina.

Elle farfouillait dans son sac à la recherche

d'un invisible peigne afin de mettre un peu d'ordre dans ses cheveux.

– Tu ne m'en as jamais parlé.

Sans quitter la route du regard, il répondit :

– Je préfère que tu me donnes ton avis toi-même. Nous arrivons bientôt.

– Tu aimes faire des mystères, sourit Tina. A moins que ce ne soit une manière de me cacher quelque horrible réalité...

– Peut-être, mais je ne me fais pas trop de souci. Les Pengalley veillent sur tout là-bas.

– Les Pengalley ?

Tina avait fini par trouver deux rubans de couleur différente dans son sac et elle entreprit de se natter les cheveux.

– Ce sont les gardiens, expliqua Brian. Ils ont un petit cottage à un kilomètre de la maison. Le destin les a ainsi désignés pour la surveiller un peu et Mme Pengalley fait le ménage quand je suis là. Quant à son mari, il bricole et se rend utile à toutes sortes de choses.

– Pengalley... murmura Tina.

– Un véritable nom de Cornouailles, rugueux et vrai, comme les gens d'ici.

– Y a-t-il des voisins ?

– Non, personne. C'est d'ailleurs la raison pour laquelle j'ai acheté la maison.

Elle lui sourit, malicieuse.

– Serais-tu misanthrope ?

– Non. Il s'agit plutôt d'un instinct de survie, corrigea-t-il. Parfois, j'ai besoin de m'éloigner de la foule, sinon je deviendrais fou. Alors, quand j'ai bien récupéré, je peux endosser de nouveau le harnais et même y prendre goût. En somme, c'est ici que je refais mes forces.

Il observa Tina et lança, amusé :

– Je t'ai dit que j'ai beaucoup changé...

– Oui, répondit-elle lentement. Tu m'avais prévenue...

Distraitement, elle enroula le ruban au bout de l'une de ses tresses.

– N'empêche, continua-t-elle, que tu travailles encore beaucoup et bien. Tes derniers albums – sans compter les chansons que tu as écrites pour d'autres – sont vraiment d'excellente qualité.

– Tu es sincère?

– Tu sais bien que oui.

Elle attacha l'autre natte.

– On a toujours besoin de se rassurer, sourit Brian.

– Eh bien, voilà qui est fait. Ce que je voulais dire, c'est que, pour quelqu'un d'aussi « radouci », comme tu dis, tu es demeuré étonnamment productif.

– J'écris beaucoup ici, expliqua Brian. Ou dans ma ville natale, en Irlande. Je dirais même plus ici que là-bas, car ma famille m'occupe beaucoup.

Tina lui jeta un curieux regard.

– Je croyais que tu vivais encore à Londres.

– En principe oui, mais quand j'ai vraiment du travail ou que je veux être seul, je viens ici. D'ailleurs j'ai aussi des parents à Londres.

– Je sais.

Tina regarda défiler le paysage par la fenêtre.

– Je suppose qu'il n'est pas toujours drôle de faire partie d'une famille nombreuse.

Les inflexions nouvelles de sa voix surprirent Brian qui lui jeta un vif coup d'œil. Mais le visage de Tina restait impénétrable. Brian ne chercha même pas à l'interroger plus avant car il savait que la famille était un sujet tabou pour Tina. Déjà, autrefois, quand il tentait de la questionner, elle changeait toujours de conversation. Il savait simplement que, fille unique, elle était partie de chez elle à dix-sept ans. Piqué par la curiosité, il avait interrogé Julie. Elle savait tout de Tina, il en était sûr, mais elle avait refusé de lui parler. Ce mystère qui entourait les origines de Tina frustrait et attirait Brian en même temps.

— Eh bien, observa-t-il, nous ne serons troublés ni par la famille ni par les voisins. Mme Pengalley, d'ailleurs, réprouve tout de la vie des artistes et se tiendra à une distance prudente...

— Des artistes?

Tina lui adressa un regard moqueur.

— Pourquoi, tu as organisé des orgies ici? insista-t-elle.

— Pas depuis trois mois, répondit-il sur le même ton.

Il engagea la voiture sur une route transversale.

— Je te l'ai dit, j'ai changé... Mais Mme Pengalley n'ignore rien des acteurs et des actrices, tu sais, parce que, son mari me l'a dit lui-même, elle se fait un devoir de lire tout ce qui les concerne dans la presse. Quant aux musiciens, particulièrement les musiciens de rock... eh bien...

Il laissa la phrase en suspens d'une manière suffisamment éloquente pour que Tina se mette à rire.

— Elle doit penser le pire de toi, j'imagine.

— Qu'appelles-tu le pire?

— Oh!... Que tu viennes vivre ici une liaison à la fois torride et scandaleuse, par exemple.

— Alors, c'est ta définition du pire, en somme?

Moi, je trouve cette perspective plutôt attrayante...

Tina rougit et baissa les yeux.

– Tu sais très bien ce que je voulais dire.

Brian lui prit la main pour y déposer un léger baiser.

– Je comprends, en effet.

Sa voix rieuse ajouta à l'embarras de Tina.

– Serais-tu ennuyée d'être considérée comme une femme de mauvaise vie ? poursuivit Brian.

Elle répondit en souriant :

– Tu sais, la presse s'en est déjà chargée pour moi. Tu n'imagines pas combien de liaisons on m'a prêtées sans même que je connaisse l'heureux élu.

– Les stars ont la quasi-nécessité d'avoir une vie amoureuse délirante, murmura Brian. Cela fait partie des devoirs de notre métier.

– La presse s'occupe aussi de toi, observa Tina un peu sèchement.

Il hocha la tête.

– Oui, je sais. Il y a même eu quelques Anglais – c'est bien d'eux – pour lancer des paris sur le nombre exact de femmes que j'étais capable d'avoir en trois mois.

Tina resta silencieuse quelques instants puis demanda :

– Le chiffre montait à combien ?

Il se mit à rire.

– Vingt-sept. Je n'ai pas voulu commettre d'excès

Tina pouffa. Brian, décidément, l'amusait. Il y avait encore en lui quelque chose de l'adolescent des rues de Londres.

La voiture s'engagea dans une allée au bout de laquelle, bientôt, elle aperçut la maison.

Haute de deux étages, elle avait des murs de pierre épais – comme toutes les maisons de Cornouailles – et des volets d'un vert profond. Plusieurs hautes et solides cheminées s'élevaient du toit et de minces filets de fumée partaient se perdre dans le ciel couleur de plomb.

Emerveillée, Tina bondit hors de la voiture.

– Oh! Brian... Comment as-tu fait pour trouver une maison aussi ravissante?

Avant même d'attendre la réponse, elle s'approcha et vit que la demeure, de l'autre côté, donnait sur la mer. Les falaises étaient si proches que l'on pouvait entendre le grondement des vagues et contempler l'écume blanche qui giclait sur les récifs. Un grand mur solide protégeait la maison de l'abîme. On était saisi de frayeur et de délice devant ce paysage grandiose. La mer grondait, furieuse, au pied des rochers et un vent froid et humide pénétrait le corps. Tina, toute à son enchantement, ne paraissait pas s'en apercevoir.

– C'est fabuleux! Fabuleux!

Un treillis de vigne, de chèvrefeuille et de roses mélangés courait le long des épais murs de pierre. Les feuilles commençaient juste à verdir mais Tina imaginait déjà leurs parfums. Un petit jardin, cerné de pierres, s'étirait le long de la maison et, déjà, des fleurs y apportaient leurs notes de couleur.

Brian sourit en la voyant si extasiée, le visage trempé de pluie.

– Tu devrais aussi visiter l'intérieur, recommanda-t-il. Il y fait plus sec...

– Oh! Je t'en prie. Montre-toi un peu plus romantique.

Elle embrassa l'ensemble d'un geste large.

– C'est digne des *Hauts de Hurlevent*.

Il lui prit la main et rétorqua :

– Romantique ou non, mon amie, j'ai besoin d'un bain chaud et d'une bonne tasse de thé.

– Moi aussi, reconnut-elle.

Déjà il l'entraînait vers la porte.

– Est-ce que nous aurons des petits pains chauds? J'y ai pris goût il y a deux ans quand j'ai fait une tournée en Angleterre. Avec de la crème fraîche...

– Il faudra en réclamer à Mme Pengalley.

Au même instant, la porte s'ouvrit sur une femme solidement charpentée, avec des cheveux noirs sévèrement coiffés en chignon. Son regard sombre et réservé se posa un bref instant sur Tina, étudia les vêtements mouillés et les nattes, puis revint, tout aussi indéchiffrable, sur Brian.

– Bonjour, monsieur Carstairs. Je vois que vous avez roulé à bonne allure. Il est encore tôt.

Elle avait l'accent vigoureux et doux de son pays.

– Bonjour, madame Pengalley. Quel plaisir de vous revoir! Je vous présente Mlle Williams qui va passer quelque temps ici, avec moi.

– Sa chambre est prête, Monsieur. Bonjour, mademoiselle Williams.

– Bonjour, répondit Tina, un peu intimidée.

Cette femme sympathique avait l'air d'avoir une trempe d'acier.

– J'espère que je ne vous ai pas donné trop de travail? ajouta-t-elle.

– Pas du tout...

Ses yeux sombres se posèrent sur Brian.

– Les feux sont allumés partout et le placard à provisions est rempli, comme vous me l'avez demandé. Je vous ai préparé un ragoût pour ce soir. Vous n'aurez qu'à le réchauffer quand vous aurez faim... M. Pengalley a apporté du bois. En ce moment, les nuits sont encore humides et fraîches. Il montera vos bagages dans un instant.

– Merci.

Déjà Tina explorait la pièce, avide du moindre détail.

– Nous avons besoin d'un bain chaud et d'un peu de thé, poursuivit-il. Tina, as-tu envie de quelque chose de particulier?

– Non, merci.

Elle sourit en direction de Mme Pengalley.

– Je suis sûre que tout est parfait.

Le corps bien droit, l'austère gardienne inclina la tête.

– Je vais préparer votre thé.

Dès qu'elle eut quitté la pièce, Tina jeta un regard éloquent à Brian.

– Tu ne cesseras jamais de m'étonner, murmura-t-elle.

Puis elle reporta son attention sur la grande salle où ils allaient passer ensemble le plus clair de leur temps à travailler durant les semaines suivantes. Un grand piano à l'ancienne était installé près des fenêtres hautes et étroites. Quelques notes égrenées révélèrent que l'instrument avait une sonorité magnifique. Des tapis discrets recouvraient en partie un splendide plancher en chêne. Les rideaux, couleur d'ivoire, étaient visiblement tissés à la main. En face de la cheminée, deux confortables canapés d'une chaude teinte beige et une table basse complétaient l'ameublement.

Le feu pétillait joyeusement dans le grand âtre

de pierre. En s'approchant, Tina vit plusieurs photos sur le manteau de la cheminée : au premier coup d'œil elle devina qu'il s'agissait de la famille de Brian.

Il y avait tout d'abord un adolescent vêtu d'un blouson de cuir noir et dont les traits ressemblaient beaucoup à ceux de Brian, bien que ses cheveux sombres fussent un peu plus longs et raides. A côté, une jeune femme d'environ vingt-cinq ans paraissait extraordinairement jolie avec ses yeux gris et son teint délicat. Là encore, la ressemblance avec Brian était suffisamment évidente pour que Tina supposât que c'était sa sœur.

Sur une autre photo, encore, un homme blond et deux jeunes garçons aux cheveux sombres possédaient aussi cette étincelle espiègle dans le regard, commune apparemment à tous les Carstairs.

Tina étudia pendant quelque temps le portrait des parents de Brian. Le père avait une allure réservée, typiquement britannique. Quant à la mère, ses cheveux étaient sombres et son visage ravissant. Elle souriait à l'objectif.

D'autres clichés attestaient encore que Brian avait en effet une nombreuse famille. Tina ne put s'empêcher d'éprouver un pincement de jalousie.

– Eh bien... Voilà une vraie tribu. Tu es l'aîné, n'est-ce pas? Je crois avoir lu ce détail quelque part. En tout cas, tu ressembles beaucoup à ta mère.

Il jeta un coup d'œil vers la rangée de cadres alignés sur la cheminée.

– C'est vrai. Celle qui a réussi le meilleur mélange, à mon avis, c'est ma sœur Alison.

Il s'approcha de Tina.

– Viens, je vais te montrer le premier étage. Mais, d'abord, nous ferions mieux de nous sécher avant de poursuivre la visite de la maison.

Il passa un bras autour de ses épaules.

– Je suis content que tu sois ici, Tina. Je ne t'avais encore jamais vue chez moi. Et les chambres d'hôtel, même si elles sont luxueuses, n'offrent jamais une atmosphère vraiment intime.

Quelques instants plus tard, Tina se détendait dans un bain très chaud, en repensant aux dernières paroles de Brian. Il était vraiment chez lui ici et, quelque part au fond d'elle-même, Tina sut déjà que bientôt elle aurait la même sensation. La maison dégageait une impression de sécurité, due peut-être à son âge et à ses dimensions.

La salle de bains constituait un chef-d'œuvre de romantisme, avec ses porcelaines à l'ancienne et ses miroirs ouvragés. Tina sortit enfin de l'eau et s'enveloppa d'une large serviette, puis dénoua ses nattes pour se brosser les cheveux.

Renonçant pour l'instant à ranger ses bagages, elle s'approcha du fauteuil près de la fenêtre. La mer, à ses pieds, grondait et tanguait sur les rochers. Les falaises étaient grises comme le ciel et, seule, l'écume des vagues en cernait les contours de sa mousse blanche. La pluie tombait toujours, le vent soufflait.

Tina appuya le menton sur ses bras croisés et s'absorba dans la contemplation du paysage.

– Tina...

C'était Brian qui l'appelait et frappait à la porte.

– Entre.

– Tu viens ?

– Tout de suite... C'est vraiment un décor

extraordinaire. Regarde. Ta chambre a-t-elle aussi cette vue-là? Je crois que je pourrais rester des heures devant la fenêtre.

Il s'approcha d'elle.

– La maison bénéficie de plusieurs belles perspectives. Je ne savais pas que tu avais un tel amour de la mer.

– Oh oui! Depuis toujours. Mais une chambre directement suspendue au-dessus de l'abîme, jamais je n'avais vu ça. Je vais écouter le grondement des vagues toute la nuit.

Elle se retourna vers lui.

– Est-ce que ta maison, en Irlande, ressemble à celle-ci?

– Non. C'est plutôt une ferme. J'aimerais t'y emmener, un jour.

Il laissa courir ses doigts à travers les cheveux encore humides de Tina.

– C'est un pays vert et frais. Aussi attirant que celui-ci, mais d'une autre façon.

– Tu préfères l'Irlande, n'est-ce pas? Même si tu vis à Londres, même si tu travailles ici, c'est l'Irlande qui est ta terre d'élection?

– Oui. D'ailleurs, j'y ai de la famille un peu partout. Tu verras, ce sont des gens très chaleureux. Si nous ne perdons pas trop de temps avec le film, je pourrais peut-être t'y emmener dès que nous aurons fini

Tina hésita.

– Oui... j'aimerais...

– Bon. Alors c'est entendu.

Brian se mit à rire.

– Au fait, j'aime beaucoup ta robe.

Saisie, Tina baissa les yeux et s'aperçut que la serviette de bain avait glissé. Troublée, elle se redressa, la serra autour d'elle et balbutia :

– Pardonne-moi... Je n'avais pas remarqué
que... Tu aurais dû me dire...

Elle se sentait les joues brûlantes.

– Mais je te le dis, la preuve!

Le regard de Brian courait le long des cuisses
nues de la jeune femme.

– Très drôle.

Malgré elle, Tina se mit à rire.

– A présent, sors d'ici que je puisse m'habiller.

– Vraiment? Dommage.

Il se pencha vers elle.

– Tu sens bon, murmura-t-il en caressant les
contours de sa bouche d'un doigt délicat. Et puis
tes cheveux sont encore mouillés.

Comme la mer qui grondait sous eux, une
tempête éclata dans le corps de Tina. Impulsive-
ment, elle lui offrit ses lèvres, cherchant sa
langue dans un baiser plein de fougue. Dressée
sur la pointe des pieds, serrée étroitement contre
lui, elle le sentait parfaitement maître de ses
gestes. Il caressait son corps comme s'il en
connaissait chaque courbe. Bientôt, un plaisir
douloureux et nouveau courut au creux de ses
reins, qui la fit gémir.

Brian lui prit le visage entre les mains et, très
doucement, demanda :

– Tina, as-tu envie de moi?

Elle ouvrit les yeux, pensive, partagée entre la
crainte et le désir. A présent, puisque c'était lui
qui lui laissait la liberté de choisir, elle aurait dû
se sentir à la fois soulagée et rassurée. Et pourtant, au contraire, elle avait envie qu'il force sa
résistance.

– Je désire que tu sois parfaitement sûre de ta
décision, dit calmement Brian.

Il lui prit le menton et la regarda en souriant.

— Je n'ai pas l'intention de te rendre la vie facile, Tina. Je t'attendrai en bas, bien que je trouve dommage que tu veuilles te changer. Tu es ravissante dans ta serviette de bain.

Il avait déjà atteint la porte quand elle le rappela.

— Brian?

Il haussa les sourcils.

— Et si j'avais dit oui?

A présent qu'il s'était éloigné d'elle, Tina se sentait un peu plus maîtresse d'elle-même.

— Tu ne trouves pas que la situation aurait eu quelque chose de... bizarre, étant donné la présence de Mme Pengalley au rez-de-chaussée?

Il s'appuya contre la porte et répondit d'une voix nonchalante :

— Si tu avais dit oui, le monde entier aurait pu se trouver là que je n'y aurais pas accordé la moindre importance...

Puis il referma doucement la porte derrière lui.

Chapitre 10

Ils étaient tous deux aussi impatients l'un que l'autre de commencer leur travail. Aussi, dès le lendemain de leur arrivée, se mirent-ils à l'œuvre, selon une agréable et laborieuse routine. Brian se levait le premier et achevait, en général, un pantagruélique petit déjeuner quand Tina commençait juste à pointer le bout du nez. Une fois qu'elle avait pris son café, ils travaillaient jusqu'à midi, heure à laquelle Mme Pengalley arrivait pour préparer le déjeuner. Tandis qu'elle s'affairait dans la maison, Brian et Tina profitaient de l'occasion pour partir faire de longues promenades.

Les jours, de plus en plus doux, se chargeaient des senteurs du printemps. Le paysage âpre, presque aride, de la lande se recouvrait de bruyères encore à peine écloses. Les oiseaux de mer criaient dans le vent et le fracas des vagues, leurs plaintes allaient se répercuter contre les falaises. Du bord, Tina pouvait apercevoir le petit village de Land's End à ses pieds avec ses alignements de cottages et son clocher blanc.

L'après-midi, ils se remettaient au travail près du feu qui crépitait dans l'âtre. Dès la fin de la première semaine, une ébauche musicale du film commençait à se dessiner.

L'entreprise n'allait pas sans quelques accrocs car Tina et Brian avaient une créativité bien trop intense pour être capables de se témoigner une réciproque tolérance. Mais cette confrontation permanente de leur inspiration les stimulait au point que le produit final de leurs efforts était toujours bien meilleur qu'ils ne l'espéraient. En réalité, ils constituaient un excellent tandem.

Tout au long de cette première semaine, ils se comportèrent comme deux vieux amis. Brian ne chercha pas une seule fois à importuner Tina de ses avances. De temps en temps, elle surprenait son regard posé sur elle avec insistance et, aussitôt, une excitation étrange s'emparait d'elle. Finalement, l'extrême réserve de Brian la désorientait. Elle aurait presque préféré qu'il l'oblige à le repousser plutôt que de le voir attendre aussi sagement qu'elle prenne elle-même une décision. Malgré tout, une tension invisible et tenace couvait sous les rires et le travail.

Cet après-midi-là, le temps était triste et pluvieux. La musique flottait à travers la maison avant de se perdre, en vagues mélodieuses, dans quelque invisible soupente. Brian avait ranimé le feu et un plateau de thé et de biscuits reposait sur la table basse. Pour la seconde fois de la journée, ils se querellaient à propos d'un détail musical.

Tina insistait.

– Je t'assure que nous devrions accélérer le rythme dans ce passage-là. Tel quel, ce n'est pas bon.

– On a affaire à une scène romantique, Tina.

– Peut-être, mais pas à un enterrement de première classe. Crois-moi, les spectateurs vont s'endormir avant même que Lauren ait fini la chanson.

– Personne ne dort jamais quand Lauren Chase chante. Ce passage est à la fois tendre et terriblement érotique, je le trouve parfait ainsi.

– Pas dans cette mesure, rétorqua Tina, obstinée.

Elle se rapprocha de lui sur la banquette du piano.

– Souviens-toi de ce passage du scénario. Joe tombe endormi sur sa machine à écrire au beau milieu d'un chapitre. Tessa, son héroïne, le rend à moitié fou d'amour et il croit perdre la raison en s'apercevant qu'elle devient de plus en plus tangible, de plus en plus réelle, alors qu'elle n'est en fait qu'un pur produit de son imagination. Une *fantaisie*, justement. Et voilà qu'à présent, en pleine journée, il s'endort et se met à rêver à Tessa qui, cette fois, lui promet de venir le retrouver pendant la nuit.

Brian l'interrompit sèchement.

– Je connais l'histoire moi aussi, figure-toi.

Elle cilla mais se contrôla. Elle le savait fatigué et, à plusieurs reprises, déjà, l'avait entendu se remettre au piano en pleine nuit.

– Cet air doit être plus rythmé, Brian. Tu as raison de dire que c'est une scène très sensuelle et je trouve les paroles que tu as écrites extraordinaires. Mais il faut aussi émouvoir les gens au plus profond d'eux-mêmes.

– C'est précisément le cas!

Il écrasa sa cigarette et poursuivit :

– Lauren saura y mettre de l'émotion.

Tina, dépitée, fit entendre un petit claquement de langue. Elle savait que le compositeur avait un instinct extraordinaire pour la musique et se trompait rarement. Pourtant, cette fois-ci, quelque chose de particulier s'était déclenché en elle quand elle avait lu les paroles et la mélodie avait aussitôt résonné, intense et animée, dans sa tête. Elle savait exactement comment il fallait la chanter pour lui assurer un maximum d'effet.

– Laisse-moi te montrer, murmura-t-elle.

Elle entama les premières mesures sur le clavier tandis que Brian se levait en haussant les épaules.

Tina accéléra le rythme et se mit à chanter. Sa voix se mêla intimement à l'accompagnement du piano, se gonfla comme une tempête au fil des émotions, explosa, vibrante, chaude, dans la pièce.

Brian, qui regardait la pluie tomber par la fenêtre, se fit plus attentif. Peu à peu les inflexions caressantes de la voix féminine prenaient possession de lui. Elle avait raison, songea-t-il. Le rythme plus rapide ajoutait encore aux accents passionnés de la mélodie.

Tina s'arrêta de chanter, rejeta ses cheveux derrière ses épaules et le regarda.

– Alors?

Il lui tournait le dos, les mains dans les poches.

– Pas mal....

Elle éclata de rire.

– Tu as une délicieuse façon de faire des compliments, mon ami. J'en ai le cœur chaviré.

Il réprima un mouvement d'impatience.

– Lauren n'a pas une voix aussi splendide que la tienne. Surtout dans les graves. Elle ne soutiendra peut-être pas le rythme aussi bien que toi.

Tina secoua la tête d'un air agacé.

– Elle a tout de même un *tempo* extraordinaire. Je suis persuadée qu'elle s'en sortira à la perfection.

Sans même goûter à la tasse de thé qu'il venait de se servir, Brian la reposa sur la table et s'approcha du feu. Tina l'observait, perplexe.

– Brian, qu'est-ce qui ne va pas?

Il plaça une nouvelle bûche dans la cheminée.

– Rien. Je suis fatigué, voilà tout.

Elle s'approcha de la fenêtre.

– Cette pluie continuelle est un peu déprimante, aujourd'hui. Mais c'est le temps idéal pour se reposer. Tu devrais en profiter. J'ai vu un magnifique jeu d'échecs dans la bibliothèque. Si tu m'apprenais à y jouer?

Elle esquissa un geste vers lui mais le sentit se raidir.

– Julie a déjà essayé de m'initier au backgammon, la pauvre! Il paraît que je manque totalement de stratégie... Du coup, elle a renoncé.

Elle s'arrêta net en voyant Brian se détourner brusquement d'elle et se diriger vers le bar pour se verser une rasade de bourbon. Il la but d'un trait et s'en servit aussitôt une autre.

– Je ne crois pas que j'aie de la patience pour ce genre de choses aujourd'hui, dit-il enfin.

Tina s'approcha vivement de lui et planta ses yeux dans les siens.

– Très bien, Brian. Pas de jeu d'échecs. Mais j'aimerais que tu me dises pourquoi tu parais si furieux contre moi. Probablement pas seulement à cause de la chanson, j'imagine.

Il soutint son regard un long instant. Dans la cheminée, le feu continuait de crépiter et de ronfler joyeusement. Tina entendit l'une des bûches s'effondrer mollement.

Brian avala le reste de son whisky et dit enfin :

– Je crois que le moment est venu d'avoir une conversation lucide... C'est dangereux de laisser les choses traîner ainsi depuis plus de cinq ans. On ne sait jamais quand l'explosion va avoir lieu.

Tina sentit une sourde angoisse lui serrer l'estomac. Elle acquiesça gravement :

– Tu as sans doute raison.

– Sommes-nous des gens suffisamment bien éduqués pour être capables de considérer le problème calmement ?

Elle eut un fugitif haussement d'épaules.

– Il n'y a pas de raison de nous lancer dans des manifestations de courtoisie... dit-elle. Ce n'est pas ce qui va éclaircir les choses.

– Comme tu voudras... commença-t-il.

La sonnerie de la porte d'entrée l'interrompit brusquement. Quand il revint, il tenait un paquet qu'il tendit à Tina.

– Pour toi. De la part de Henderson.

Déjà la jeune femme s'affairait à retirer l'emballage.

– Je me demande ce qu'il peut m'envoyer, murmura-t-elle. Oh... bien sûr ! C'est la première maquette pour la pochette de mon nouvel album.

Elle en donna un exemplaire à Brian sans le regarder et s'absorba dans l'étude du sien.

Pendant de longues minutes, ils examinèrent en silence la couverture qui représentait une photo agrandie de Tina assise, comme à son habitude, les jambes repliées sous elle. Elle fixait l'objectif, un demi-sourire sur les lèvres, d'un regard gris et franc. Ses cheveux ruisselaient sur ses épaules, formant un étonnant contraste sur le fond blanc. L'éclairage avait été habilement étudié pour donner l'impression qu'elle était nue et le résultat, en effet, combinait un mélange adroit de séduction et d'érotisme.

– Tu as approuvé cette couverture?

Absorbée par la lecture du texte, sur l'autre face de la pochette, Tina répondit distraitement.

– Comment? Ah oui!... J'en avais déjà vu les premières épreuves avant de partir en tournée. Je ne suis pas tout à fait certaine que l'ordre des chansons soit le bon mais je suppose qu'il est un peu tard pour y changer quelque chose à présent.

– J'ai toujours eu l'impression que Henderson te considérait de cette manière.

– De quelle manière? demanda Tina l'air absent.

– Comme une jeune vierge offerte à l'appétit des masses...

Il lui rendit la maquette.

– Brian... Mais... tu es vraiment ridicule.

– Je ne pense pas, rétorqua-t-il. Je suis même au-dessous de la vérité. Regarde cette mise en scène : jeune Ophélie immaculée, éclairage mystique et, par-dessus le marché, tout est fait pour que l'on te croie nue.

Elle protesta, indignée.

– Mais je n'étais pas nue. Je n'aurais jamais accepté de poser ainsi.

– Ce ne sera sûrement pas l'avis du consommateur qui se procurera ton disque.

Brian s'appuya contre le piano.

– Cette couverture est exagérément provo-
cante et équivoque.

Troublée, Tina fronça les sourcils.

– Mais je ne vois pas où est le mal. Je n'ai plus
l'âge d'être habillée avec une jupe plissée et un
nœud dans les cheveux. C'est le métier, Brian! Il
n'y a rien de choquant dans cette pochette.
D'ailleurs, je te répète que je n'ai pas posé nue. Je
me trouve même plus décente que la plupart des
femmes sur la plage.

Il répliqua froidement :

– Il ne s'agit pas d'être vraiment nue ou non.
C'est l'esprit général de la photo qui est équivoque.

La colère et la gêne brûlèrent les joues de
Tina.

– Tu exagères. Je n'aurais jamais accepté de
poser pour une photo de mauvais goût. Karl
Straighter est le meilleur photographe de la côte
Ouest et il sait ce qu'il fait.

– Rien ne l'empêche, sous prétexte d'art, de
jouer avec la pornographie.

Les yeux de Tina s'élargirent sous le choc.

– Tu es répugnant, souffla-t-elle. Tu cherches
vraiment à me blesser, n'est-ce pas?

– Je te donne simplement mon avis. Fais-en ce
que tu voudras.

– Je me fiche complètement de ton avis.

Brian écrasa nerveusement sa cigarette dans le
cendrier.

– Oh! J'en suis persuadé.

Soudain, il la saisit brutalement par le bras.
Ses yeux brillaient, aussi froids que le métal. Tina
chercha vainement à se libérer.

– Lâche-moi, Brian.

– Quand je le voudrai.

154

– Maintenant!

Raidie, essayant de toutes ses forces de maîtriser sa colère, elle fixa sur lui un regard de braise.

– Je n'aime pas que tu m'insultes, Brian, et je n'ai pas l'intention de t'écouter plus longtemps. Tu peux user de ta force si tu veux, mais cela ne changera rien. Je mène ma vie comme je l'entends et tu n'as aucun droit sur elle. Tu m'as donné ton avis? Parfait. Maintenant, lâche-moi!

Il resta silencieux si longtemps que Tina crut qu'il ne la laisserait jamais partir. Finalement, il desserra lentement son étreinte et Tina dégagea aussitôt son bras.

Sans un mot, elle quitta la pièce.

Elle ne sut pas ce qui, de l'orage qui grondait derrière les vitres ou de sa querelle avec Brian, avait provoqué son cauchemar. Des souvenirs épars remontaient de l'enfance, mêlés à des images confuses et menaçantes et à un sentiment obsédant de honte et d'angoisse. Elle s'agitait, gémissante, entre ses draps sans parvenir à chasser l'obscurité hostile qui étouffait sa conscience.

Les roulements de tonnerre se firent de plus en plus violents, et, soudain, un éclair brutal balaya la chambre de sa lueur blafarde. Tina eut l'impression que la foudre explosait à l'intérieur d'elle-même. Elle s'assit brusquement sur le lit en hurlant.

Brian se précipita immédiatement dans le noir, guidé par les sons étouffés des sanglots de la jeune femme, jusqu'à la chambre de celle-ci.

– Tina! Tina! Je suis là, ma chérie.

Elle s'accrocha à lui comme une noyée, parcourue de tremblements irrépressibles, glacée.

Il remonta la couverture autour d'elle et la blottit entre ses bras.

– N'aie pas peur, mon amour. Ici, tu ne crains rien.

C'était comme s'il berçait et consolait une enfant effrayée par l'orage.

Elle pressa son visage contre son épaule.

– Serre-moi fort. Fort.

Il déposa un baiser très doux sur son front. La respiration de Tina était rapide, oppressée.

– Oh! Brian... Quel terrible cauchemar...

– A quoi as-tu rêvé?

Elle frissonnait toujours tandis que les images affluaient, sombres, effarantes.

– Elle m'a laissée toute seule, murmura-t-elle. Seule, comme toujours, dans cette pièce obscure que je détestais. Il y avait un néon rouge, de l'autre côté de la rue, qui clignotait sans cesse, perçait le noir de la chambre et m'empêchait de trouver le repos. Il faisait si chaud. Et je l'attendais...

Elle se serra plus étroitement contre Brian. Les mots, tremblants, trébuchaient de ses lèvres comme autant de plaintes.

– Et quand elle est revenue, elle était ivre. Comme chaque soir. Et accompagnée d'un nouvel amant. Alors je mettais mon oreiller sur ma tête pour ne pas les entendre.

Tina s'arrêta pour reprendre son souffle. Il faisait bon dans les bras de Brian. Rassurant. L'orage, dehors, se déchaînait, plus violent que jamais.

– Et puis elle est tombée un jour dans l'escalier et s'est cassé le bras. Alors nous avons déménagé mais, partout, c'était le même scénario : des pièces sombres et sans air, empestant l'alcool. Et des hommes, toujours plus nombreux, toujours différents. A chaque rémission, ma mère me promettait de changer, de trouver un travail et de m'envoyer à l'école mais, chaque fois, quand je rentrais à la maison, je la retrouvais ivre, avec un homme.

– Tina...

Brian caressa sa joue, essuya les larmes qui débordaient silencieusement de ses yeux. Peu à peu, elle paraissait se calmer.

– Et ton père ?

– Je ne l'ai jamais connu.

Elle se dégagea des bras de Brian, quitta le lit.

– Je crois bien que ma mère non plus n'a jamais su de qui il s'agissait. Tu comprends... Il y en a eu tellement.

Un long silence les enveloppa. Finalement, il chercha une boîte d'allumettes dans la poche de son jean pour allumer la bougie à côté du lit. La lueur vacillante de la flamme déchira la pénombre.

– Pendant combien de temps as-tu vécu ainsi ?

Tina passa les mains dans ses cheveux. Elle regrettait déjà de s'être laissée aller à tant parler mais il était trop tard pour reculer, désormais.

– Je crois que j'ai toujours connu ma mère alcoolique. Oui... peut-être, quand j'avais cinq ou six ans, avait-elle un meilleur contrôle d'elle-même. Elle chantait dans les bars et sa voix était assez belle. C'était une jolie femme à cette époque mais... après... elle s'est effondrée. Pour vivre, il lui fallait de l'alcool, plus beaucoup d'hommes.

Certains se montraient parfois bons pour moi et je me souviens de l'un d'eux m'emmenant au zoo une fois ou deux.

Brian, immobile, regardait la lueur tremblante de la bougie danser sur la chemise de nuit de Tina tandis que la jeune femme arpentait la pièce.

– Elle a détruit sa voix avec l'alcool et le tabac et, plus sa santé se dégradait, plus elle buvait et fumait. Elle n'avait aucune chance de s'en sortir et il m'arrivait de la détester autant qu'elle se détestait elle-même.

Elle soupira. Parler lui faisait du bien, la déchargeait de ce fardeau secret qu'elle portait depuis si longtemps.

– Elle me suppliait de ne pas la haïr, de lui pardonner et répétait toujours : tu verras, je vais changer... Mais rien ne changeait jamais. Pourtant, je crois qu'elle m'aimait mais, quand elle buvait, elle en oubliait jusqu'à son propre nom. Il valait mieux alors, pour moi, ne pas me trouver sur son chemin.

Tina grelottait, les bras croisés autour de sa poitrine.

– J'ai froid...

Brian s'approcha de la cheminée pour y attiser le feu. La jeune femme avait gagné la fenêtre et contemplait l'orage qui consentait enfin à s'éloigner.

– Parmi ses nombreux amants, il y eut une fois un musicien qui m'apprit les bases du solfège et du piano. Un jour, maman a été engagée comme serveuse dans un bar de Houston. Très vite elle est devenue la maîtresse du patron qui, par miracle, se montrait plutôt bon pour moi. J'avais seize ans à l'époque et je venais jouer un peu de piano aux heures de fermeture. Il m'a trouvée douée et m'a demandé de continuer pour les clients. J'ai aimé cela...

Elle soupira de nouveau et se frotta le front. Le feu avait recommencé à crépiter et pétiller dans l'âtre.

– Une fois de plus, nous avons dû déménager, direction l'Oklahoma. En mentant sur mon âge, je suis arrivée à trouver une place de chanteuse dans un bar, la nuit. A ce moment-là, maman traversait l'une de ses pires périodes et nous avions besoin d'argent. J'avais de plus en plus peur de la laisser seule. Non sans raison. Un soir, plus ivre que jamais, elle est venue faire un scandale au club. Wayne y travaillait à l'époque comme serveur et il a su réagir. Il l'a calmée et l'a reconduite chez nous. Ni discours ni sermons. Solidaire, c'est tout. Il a été merveilleux.

Elle se rapprocha du feu.

– Mais maman a recommencé ses scènes et, finalement, j'ai été renvoyée. Quand, enfin, j'ai eu dix-huit ans, je l'ai quittée. Un soir qu'elle était effondrée sur la table de la cuisine, une bouteille de vin vide à côté d'elle, j'ai su que le moment était arrivé. Je lui ai laissé tout l'argent que j'avais pu économiser et je suis partie. Voilà.

Elle passa une main lasse sur ses yeux. Dehors, la pluie s'apaisait lentement.

– Je suis allée à Los Angeles et c'est là que Henderson m'a découverte, un jour, dans un bar. Il m'a dit que j'avais du talent, m'a encouragée à poursuivre une carrière de chanteuse. Je ne savais pas encore vraiment ce que je voulais quand j'ai signé mon premier contrat avec lui. La suite s'est enchaînée si vite que je n'ai même pas eu le temps de réfléchir. Tout devenait soudain à la fois merveilleux et terrifiant : les séances d'enregistrement, les contrats, les rencontres... Je ne crois pas que je serais capable de revivre aujourd'hui la fièvre et l'angoisse de ces premiers mois. C'est à ce moment-là que... j'ai reçu un coup de fil d'un hôpital de Memphis.

Ses gestes nerveux faisaient danser le fin tissu de sa chemise de nuit à la lueur de la bougie.

– Ma mère était dans un état désastreux. Son dernier amant l'avait battue avant de lui voler son argent. En me voyant, elle a pleuré, promis, supplié. Plus jamais, répétait-elle, plus jamais... C'était tout ce qu'elle savait dire.

Les larmes coulaient de nouveau, silencieuses, sur les joues de Tina.

– Dès qu'elle a été en état d'être transportée, je l'ai amenée ici, en Californie. Julie avait trouvé un centre de désintoxication que l'on disait remarquable, la clinique *Fieldmore*. Quant au médecin chargé du traitement, le Dr Karter, il était jeune, sympathique, compétent. Il a essayé de m'expliquer sa méthode et m'a dit qu'il fallait que j'accepte de considérer ma mère comme une victime. Mais, là, dans son luxueux bureau, j'ai explosé. Je lui ai dit que je me fichais bien de savoir si ma mère était ou non une victime. Tout ce que je savais, c'était qu'elle avait ruiné ma jeunesse. C'était *moi* la victime. Et je la haïssais.

En sanglotant, Tina enfouit son visage dans ses mains.

– Oui, je la haïssais et je l'aimais à la fois. Le Dr Karter m'a laissée crier tout mon saoul sans broncher puis il m'a calmement expliqué ce qu'il comptait faire avec ma mère. Epuisée, je suis rentrée chez moi. Deux jours plus tard, je t'ai rencontré.

Elle n'avait pas entendu Brian s'approcher et, soudain, elle sentit ses deux mains sur ses épaules. Sans un mot, elle se retourna et se blottit contre lui.

– Tina, si tu t'étais confiée à moi, j'aurais pu mieux t'aider.

Elle secoua la tête.

– Non, je ne voulais pas mêler le passé au présent. J'avais peur que, si tu découvrais qui était ma mère, tu te méfies de moi.

– Tina...

Il y avait de la tristesse dans la voix du jeune homme.

– Je sais que je peux paraître idiote, mais tu dois comprendre. Je n'étais rien et voilà que, brusquement, mes photos surgissaient à tous les coins de rue. Quand maman a réapparu, j'ai découvert qu'une partie de moi la haïssait et, plutôt que d'essayer d'accepter cette réaction, j'ai éprouvé au contraire un terrible sentiment de culpabilité. J'avais honte.

Voyant qu'il allait parler, elle l'interrompit aussitôt.

– Non... N'essaie pas de me dire que j'avais tort de penser ainsi ou au contraire que ma réaction était finalement plutôt légitime. C'est un raisonnement abstrait, une position de principe, qui n'a rien à voir avec l'émotion intense que j'éprouvais. Il s'agissait de ma mère, tu comprends. Une part de moi-même.

Tina plongea ses yeux dans ceux de Brian puis, brusquement, se détourna, fixant le feu.

– Je suis tombée amoureuse de toi. Je t'aimais,

je te désirais mais... je savais que je ne pourrais jamais aller plus loin.

– Pourquoi?

– Parce que j'avais peur de devenir comme elle.

Brian la prit par les épaules.

– Voyons, Tina, tu ne parles pas sérieusement, n'est-ce pas? Tu crois encore que les enfants doivent payer pour les fautes de leurs parents?

– Non. Mais...

– Mais, malgré tout, tu t'interdisais le droit au bonheur.

– Je sais, je sais, mais...

– Il n'y a plus de *mais* qui tiennent, Tina. Tu es une personne à part entière, ta vie t'appartient. Aimer réellement quelqu'un, s'unir à lui totalement, ce n'est pas la même chose que de céder à n'importe qui, n'importe comment.

Tina s'humecta les lèvres.

– Je sais... je sais...

– Vraiment? Laisse-moi plutôt te montrer...

La peur et le désir menaient un invisible combat dans l'esprit de Tina. Elle leva les bras vers lui et, finalement, murmura :

– Oui...

Doucement, il écarta les mèches de son front. Puis il prit son visage entre ses mains et, lentement, approcha ses lèvres; il pouvait la sentir trembler comme une feuille contre lui. Tandis qu'il l'embrassait, elle lui étreignait les poignets de ses deux mains. Il fut patient, doux. Bientôt les lèvres de Tina s'écartèrent et le baiser de Brian se fit plus passionné, plus pénétrant.

Sans quitter sa bouche, il prit possession de son corps en de longues caresses sur ses épaules, sa poitrine, ses hanches. Elle vacilla contre lui et tenta de protester mais il resserra son étreinte et, bientôt, elle se sentit brûler d'un désir intense qui l'enfiévrait au-delà de toute raison. Quand il la souleva entre ses bras pour la déposer sur le lit, elle ne chercha même plus à résister.

Presque aussitôt il fut près d'elle et, au contact de son corps nu, une tempête de doutes et de terreurs éclata en elle.

– Brian, je t'en prie...

Les mots moururent sous la morsure de son baiser. A présent, il la caressait doucement, obstinément. A demi consciente, elle songea qu'il se contrôlait, se retenait pour ne pas l'effrayer. Mais bientôt, le plaisir, par degrés, chassa toute autre pensée. Les lèvres de Brian couraient le long de sa gorge et de ses seins. Elle sentit une chaleur étrange, irrésistible, envahir ses reins en spirales brûlantes. Gémissante, elle s'arqua contre lui et fit courir ses doigts dans ses cheveux.

Le crépitement du feu, la lueur tremblante de la bougie et les parfums tendres du bois sec et des draps frais étaient autant de sensations vagues et délicieuses qui s'estompèrent bientôt sous l'incendie des caresses et la langueur de l'amour.

Le souffle court, dévorée de passion, Tina enlaça Brian pour le serrer contre elle et la force de son baiser lui renversa la tête profondément dans l'oreiller. Maintenant, il était allongé sur elle, poitrine contre poitrine, cuisses contre cuisses. Elle eut un fugitif mouvement de panique quand elle sentit sa main descendre vers sa taille, son ventre, plus bas, au secret de son être. Mais les vagues d'un plaisir presque douloureux balayèrent ses appréhensions. Avec un murmure rauque, elle se tendit sous lui.

Tout son corps appelait à l'union absolue et, bientôt, il fut en elle, calme, tendre, patient. Elle ressentit à peine une légère douleur, poussa un cri profond et bascula dans un océan de plaisir et de passion.

Chapitre 11

La tête confortablement blottie au creux de l'épaule de Brian, Tina contemplait le feu. La pièce était calme, chaude. Dehors, la pluie bruissait faiblement et Tina devinait qu'elle ne pourrait jamais plus l'écouter tomber sans penser à ce moment exceptionnel.

Allongé à ses côtés, silencieux, il la tenait enlacée. Elle le crut endormi, souleva la tête pour le regarder et rencontra ses yeux grands ouverts qui contemplaient le plafond.

Tina lui caressa la joue.

— Je croyais que tu dormais.

Il lui prit la main et la porta à ses lèvres.

— Non. Je...

Il s'interrompit, tourna la tête vers elle. Une larme perlait encore aux cils de Tina.

— Je t'ai fait mal...

Elle secoua la tête et enfouit son visage dans son cou.

— Non. Au contraire. Je suis merveilleusement bien. Je me sens si... libre.

Elle le regarda en souriant.

— Je dis des bêtises, tu ne trouves pas?

— Pas du tout.

Il passa ses doigts dans les cheveux de Tina,

amusé de voir les flammes du feu se refléter dans ses yeux.

– Tu es si belle...

Elle l'embrassa.

– J'ai toujours pensé la même chose de toi. Ta séduction...

Il se mit à rire en la serrant plus fort contre lui.

– Vraiment?

– Oui. Je me suis souvent dit que, en version féminine, tu aurais été une créature extraordinairement belle. La photo de ta sœur, d'ailleurs, m'a donné raison.

Il haussa un sourcil.

– Curieux... Je n'ai jamais supposé que tu pouvais penser ce genre de choses. Tant mieux, au fond.

Tina joignit son rire au sien et sa voix riche, chatoyante, résonna dans le silence paisible de la pièce.

– Tu sais, je te préfère encore en homme...

– Ouf! s'écria-t-il. Vu les circonstances, le contraire m'aurait inquiété.

Il laissa sa main descendre vers les hanches de Tina, effleurant sa peau de satin. Une veine palpitait au creux de sa gorge et Tina l'embrassa doucement avant de murmurer:

– Tu es si bon pour moi. Si doux...

Il grogna quelque chose qu'elle ne comprit pas et, sans avertissement, roula sur elle. Ses yeux étaient d'un gris intense, magnétique.

– L'amour n'est pas toujours doux, Tina...

Sa voix avait pris soudain des résonances dures, âpres. Il embrassait Tina avec une passion farouche, presque brutale, sans patience ni mesure. La fièvre montait en lui comme une marée dévorante jusqu'à ce que le désir irrésistible les fît sombrer de nouveau l'un contre l'autre.

Depuis si longtemps qu'il avait envie d'elle... A présent, il s'abandonnait au bonheur de la posséder, de la dominer. Sous ses doigts, sous sa bouche, Tina était tendre, satinée, docile. Elle se laissait entraîner dans l'univers mystérieux, violent, où Brian la conduisait par des chemins inconnus vers le plaisir le plus pur, la passion la plus sauvage qui mêlaient leur incandescente liberté.

C'était trop intense, trop bouleversant. Elle cria son nom, affamée, désespérée. Lorsqu'il fut en elle, enfin, il ne subsista plus que la chaleur, l'amour, l'unité. Leurs deux corps oscillèrent au rythme égal de leur ivresse puis il y eut l'orage, le feu, la plénitude.

L'extase les jeta l'un contre l'autre, puis les laissa faibles, désarmés et tremblants.

Un long moment s'écoula. Brian reposait, lourd, détendu, sur le corps de Tina qui aimait sentir son poids sur elle. Quand enfin il ouvrit les yeux, il l'embrassa légèrement avant de s'écarter d'elle.

— Ne pars pas... implora-t-elle.

— Je vais remettre une bûche ou deux dans le feu pour la nuit.

Il se leva. La lueur dansante des flammes éclairait son corps mince harmonieusement musclé.

Comme il est beau, pensa-t-elle. *Et je l'aime tant!*

Elle avait failli prononcer ces mots à voix haute. Je l'aime depuis tant d'années, depuis toujours.

Tina ferma les yeux. Il n'y avait plus de passé. Plus d'avenir angoissant. Juste le présent.

Cette fois, ils ne commettraient pas les mêmes erreurs, songea-t-elle encore. Ni possessivité excessive ni pressions d'aucune sorte. Tout ce qu'elle voulait, c'était sa présence. Etre avec lui, simplement.

Il se retourna vers elle et ils se contemplèrent longuement, encore hébétés par l'extase qui venait de les précipiter l'un contre l'autre.

– Mon Dieu, Tina, j'ai encore envie de toi.

Elle lui ouvrit tout grand les bras.

Quand elle se réveilla, le soleil brillait, joyeux, contre la vitre. Brian dormait profondément, à demi couché sur elle. Elle résista à l'envie de lui caresser les cheveux car elle ne voulait pas le réveiller. C'était si agréable de le regarder dormir, paisible, abandonné. Un sentiment profond, chaud, l'emplit tout entière. Elle ne s'était jamais sentie aussi heureuse.

Elle sourit pour elle-même en songeant aux pantagruéliques petits déjeuners qu'il avait l'habitude de dévorer chaque matin alors qu'elle commençait seulement à se réveiller et descendait, titubante, le rejoindre.

Cette fois, elle voulait lui faire la surprise.

Précautionneusement, elle se dégagea, glissa hors du lit et se dirigea vers la penderie pour enfiler une robe.

La cuisine étincelait sous le soleil. Tina prépara d'abord un café fort. Elle débordait d'une énergie flamboyante, malgré l'heure matinale, qui lui rappelait l'état d'excitation et de fièvre qu'elle éprouvait toujours à la fin d'un concert.

Ses yeux suivaient machinalement les gouttes

ambrées qui coulaient dans le pot de verre. Au fond, elle avait souvent pensé que se produire en public et faire l'amour n'étaient pas tellement différents : elle se donnait entièrement, s'abandonnait à la chaleur, à la vibration d'une émotion extrême. Brian venait de lui en donner la preuve.

Pendant qu'elle réfléchissait devant le café, Brian s'éveillait tranquillement. Il ouvrit lentement les yeux, découvrit le lit vide à côté de lui. Une onde de panique courut aussitôt dans ses veines. Ils s'étaient endormis cramponnés l'un à l'autre comme deux naufragés. Et maintenant, elle n'était plus là! Il se leva d'un bond, sauta dans son jean et se rua vers l'escalier.

Avant même qu'il ait atteint la première marche, la voix de Tina flotta jusqu'à lui.

Chaque matin, quand je me réveille
Tes yeux reposent sur moi
Il n'y a plus que l'amour, au-delà du sommeil,
Plus rien ne nous séparera.

Il reconnut la chanson à laquelle il avait fait ironiquement allusion ce fameux soir, sur les collines de Los Angeles, alors qu'il lui reprochait son excès de sentimentalité. Aussitôt, le nœud d'angoisse qui lui serrait l'estomac se relâcha et il longea le couloir en direction de la cuisine.

Sans passer le seuil, il l'observa silencieusement. Elle était comme sa chanson, comme sa voix, détendue, fraîche, heureuse. Des odeurs agréables flottaient dans la pièce : le café qui coulait, le pain grillé, les saucisses rôtissant dans la poêle. Encore emmêlés par la nuit, les cheveux de la jeune femme flottaient sur ses épaules et sa robe, très courte, découvrait haut ses jambes tandis qu'elle essayait vainement d'attraper un pot sur une étagère. Elle se retourna pour prendre un tabouret et ce fut à ce moment qu'elle aperçut Brian. La fourchette qu'elle tenait entre ses doigts lui échappa et rebondit sur le sol avec un tintement clair.

– Brian! Tu m'as fait peur!

Il ne lui rendit pas son sourire. Le regard qu'il posait sur elle était grave, impénétrable.

– Je t'aime, Tina.

Les yeux de la chanteuse s'élargirent, ses lèvres tremblèrent légèrement. Les mêmes mots pouvaient dire tant de choses différentes! Il suffisait, simplement, de les prononcer autrement.

Elle ramassa la fourchette.

– Moi aussi, je t'aime, Brian.

Il fronça les sourcils.

– Ne me parle pas comme si tu étais ma sœur. J'en ai déjà deux. Je n'en ai pas besoin d'une troisième.

Tina prit son temps avant de répondre :

– Je n'ai jamais pensé à toi comme à un frère, rassure-toi.

Une tension nouvelle lui raidissait la nuque. Elle s'affaira près de l'évier pour dissimuler son trouble.

– J'ai du mal à exprimer exactement ce que je ressens. Mais... j'avais besoin de ton aide, de ton réconfort. Cette nuit, tu m'as aidée plus que je ne saurai jamais le dire.

Il répliqua sèchement :

– Tu me parles comme à un médecin. J'ai dit que je t'aimais, Tina.

Elle le regarda enfin. Ses yeux étaient plus qu'éloquents.

– Oh! Brian, tu n'as pas à te sentir obligé...

Elle s'arrêta, surprise, décelant la colère dans l'expression de Brian. Soudain, il bondit à travers la cuisine, éteignit le gaz sous la poêle et coupa le courant de la machine à café.

– Ne me dis pas ce que j'ai à faire, s'écria-t-il. Bon sang, je le sais mieux que toi!

Il l'agrippa par les épaules, la secoua rudement.

– Si je t'aime, ce n'est pas par obligation... Je ne peux pas faire autrement, voilà tout. Tu es une vraie terreur, tu sais...

– Brian...

– Tais-toi, ordonna-t-il.

La rage, le désespoir, le désir vibraient dans sa voix tendue. Il l'attira contre lui et menaça :

– Ne me parle plus jamais avec cette voix d'orpheline reconnaissante. J'attends bien plus de toi. Oui, beaucoup plus...

Elle lui jeta les bras autour du cou.

– Oh! Brian, tu auras plus, tu auras tout! Moi aussi, je t'aime, et pas seulement comme une orpheline reconnaissante...

Elle l'embrassa et bientôt, enlacés étroitement, ils s'abandonnèrent de nouveau à la fièvre et au désir. Brian l'entraînait déjà vers l'escalier en murmurant dans son cou :

– Le café peut attendre.

– Trop loin... chuchota Tina.

– Comment?

– Je dis que la chambre est trop loin.

Brian s'écarta légèrement d'elle pour lui décocher son plus radieux sourire.

– Tu as raison... C'est beaucoup trop loin.

Il la guida à l'intérieur du salon où ils se laissèrent rouler sur le canapé. Brian glissa ses mains sous la robe de Tina et déclara dans un souffle :

– Nous avons toujours très bien travaillé dans cette pièce. Recommençons...

Il mordit doucement les lèvres de Tina.

– L'important, c'est le rythme...

– Peut-être, rétorqua-t-elle, les yeux rieurs. Mais il faut aussi des paroles.

– Pas toujours.

Ses mains remontaient, brûlantes, vers les seins de Tina.

– Deux notes soutenues qui se mélangent... Un accord parfait.

Il commença à défaire la fermeture de sa robe.

– Attention, Brian. Mme Pengalley... Elle va bientôt arriver.

– Eh bien, ce qu'elle verra la confirmera dans ses horribles soupçons sur la vie privée des artistes.

Tina était secouée de rire.

– Arrête, Brian. Non!

– Impossible, répondit-il le plus sérieusement du monde. Tout à fait impossible. D'ailleurs, c'est dimanche, Mme Pengalley ne viendra pas... Maintenant, laisse-moi te montrer ce que le mot « luxure » veut dire.

Il fit glisser la robe et Tina ferma les yeux.

– Oui, murmura-t-elle. Montre-moi...

Un long moment plus tard, Tina regardait Brian ranimer le feu. Elle avait fait réchauffer le café et apporté le plateau. Jamais elle ne s'était sentie aussi détendue, aussi apaisée. Avec un sourire, elle tendit une tasse fumante à Brian.

— A quoi penses-tu? demanda-t-il.

— Je suis heureuse...

— Vraiment heureuse?

— Oui... Quelque chose entre l'extase et le délire, je suppose.

Il eut un soupir faussement contrit.

— C'est vraiment peu... Il va falloir procéder à des améliorations.

Puis, soudain sérieux, il ajouta :

— Sais-tu que tu m'as rendu à moitié fou dans cette pièce, hier?

— Hier?

— Oui, quand tu as chanté. Ce mélange d'innocence et de sensualité dans ta voix... Je te désirais tant que je ne pouvais plus supporter de me trouver dans la même pièce que toi, si près, et si loin en même temps. Ensuite il y a eu la fameuse chanson. Il fallait que j'explose. C'est ce qui est arrivé quand on a apporté cette maudite couverture de disque.

Il eut une sorte de rire silencieux avant de poursuivre :

— Apparemment, tu vois, la musique n'adoucit pas toujours les mœurs.

Tina le regardait avec stupéfaction.

— Alors, voilà pourquoi tu...

Lentement, un sourire se dessina sur ses lèvres. Le sentiment de son pouvoir, de sa séduction était un plaisir nouveau, délicieux...

— Oui, répondit-il simplement.

Il l'embrassa.

— Tu sais qu'il est midi? Il faudrait peut-être se décider enfin à travailler un peu... A propos du second rôle féminin... Quand elle se met à danser... Je me demande s'il ne faudrait pas accélérer le tempo.

Tina acquiesça distraitement tandis que ses mains, glissant sous le chandail que Brian avait enfilé, effleuraient savamment les muscles de son dos.

— Tu as raison. Cette scène doit trancher sur les autres. Il faut soigner tout spécialement le rythme de la chorégraphie.

Sous la caresse légère des doigts qui réveillaient sa sensibilité, Brian n'y tint plus et tenta d'enlacer Tina. Mais déjà, elle s'éloignait vers le piano.

— Comme ça, tu vois? Une sorte de boogie-woogie...

Il tenta louablement de se concentrer sur la musique.

— Et puis il faudrait des chœurs...

Elle prit sa tasse de café et vint s'asseoir près de lui.

— Qu'en penses-tu?

En guise de réponse, Brian eut une sorte de gémissement comique et, la prenant par un bras, l'attira à lui.

— Si, vraiment, nous voulons travailler, Tina, je suggère que tu portes des vêtements affreux et totalement dénués de qualités suggestives.

Elle glissa ses bras autour de son cou en souriant.

— On dirait que je te distrais...

— Exactement!

— Ce n'est pas vraiment ma faute, tu sais. Maintenant que j'ai pris le goût de te séduire...

— Tu as donc tellement envie de travailler?

Elle lui donna une bourrade faussement réprobatrice.

– Tout à fait. Je monte dans ma chambre dénicher les vêtements affreux que tu réclamais tout à l'heure.

Il la retint par le bras.

– Non. Plus tard...

La lueur qu'elle vit danser dans ses yeux bleus l'amusa et la stupéfia à la fois.

– Brian... Vraiment, tu ne penses pas...

Mais, déjà, il l'entraînait vers le canapé en répétant obstinément :

– Plus tard...

Chapitre 12

L'été arrivait lentement en Cornouailles. Les matinées encore fraîches se transformaient à présent en après-midi tièdes, animés par le chant des abeilles qui venaient bourdonner autour des fenêtres. Les premiers effluves de chèvrefeuille se mêlaient aux senteurs délicates des roses à peine écloses. Comme elles, Tina sentait qu'elle s'ouvrait, s'épanouissait à la vie nouvelle qui renaissait en elle.

Elle aimait et était aimée en retour.

Ce rêve qu'elle avait poursuivi depuis toujours, ce miracle qu'elle espérait depuis sa plus tendre enfance quand, transportée de ville en ville par sa mère, elle ne pouvait même pas se faire d'amis, elle le voyait enfin devenu réalité.

C'était ce besoin de tendresse qui expliquait en partie sa réussite de chanteuse. Elle désirait tant l'amour de son public que celui-ci le sentait et le lui rendait.

Son succès l'avait comblée en partie, mais elle découvrait maintenant avec Brian qu'elle recherchait un accord encore plus profond, plus intime.

Au fur et à mesure des semaines qui s'écoulaient, la vedette adulée, adorée par les foules, s'apercevait qu'elle était aussi une femme et cette révélation la remplissait d'une joie secrète, unique.

Brian était un amant exigeant, passionné. Non seulement sur le plan purement physique mais aussi dans tous les domaines de l'émotion. Il voulait posséder sans réserve son cœur, ses pensées autant que son corps. Et cette exigence, justement, constituait la seule ombre au tableau idyllique de ces dernières journées.

Tina ne concevait pas de se livrer tout entière sans préserver au moins une ultime défense. Elle avait trop connu d'abandons, de déceptions. Sa mère, ainsi, qui promettait toujours, reprenait toujours. Tina avait dû apprendre à sauvegarder coûte que coûte une part de sa confiance en autrui. Ne fût-ce que pour survivre.

Quand Brian l'avait quittée, cinq ans plus tôt, elle avait tout fait pour l'oublier mais la blessure demeurait, tenace, douloureuse, et lui rappelait qu'il fallait rester prudente.

Elle s'était alors juré qu'aucun homme ne lui ferait plus le mal que lui avait causé Brian Carstairs. Aujourd'hui, cette résolution tenait toujours, même devant Brian, le seul homme qu'elle eût jamais connu capable de la bouleverser à ce point. C'était à la fois exaltant et terrifiant.

Certes, il avait su la révéler à elle-même, lui apprendre les secrets de son corps, de sa féminité. Elle savait qu'il éprouvait pour elle une irrésistible passion. Quand il la possédait, il ne montrait plus aucune trace de cette réserve britannique qu'il affectait parfois, mais bien plutôt toute la fièvre, tous les torrents du sang irlandais.

Un matin, il l'éveillait en jonchant le lit de

pétales de roses. Un autre jour, il lui apportait du champagne frais dans son bain. La nuit, il pouvait devenir totalement exigeant, passionné, presque brutal et l'impatience de son désir les précipitait tous deux dans des tempêtes de plaisir sans même que Tina pût seulement protester, penser... Certaines fois, il paraissait fantastiquement heureux. A d'autres moments, elle le surprenait, pensif, impénétrable, tandis qu'il l'observait avec une expression curieuse au fond des yeux.

Tina l'aimait. Pourquoi ne parvenait-elle pas à lui accorder toute sa confiance? Tous deux connaissaient la réponse, mais ils évitaient d'en parler.

Assise à côté de Brian sur la banquette du piano, Tina plaquait des accords sur le clavier, les sourcils froncés, concentrée.

– Je crois vraiment que ce serait mieux en mineur. J'imagine beaucoup de violons, ici, et même des violoncelles.

La musique éclatait dans sa tête comme une symphonie.

– Qu'en penses-tu?

Elle tourna la tête et rencontra le regard de Brian posé sur elle. Il prit une cigarette.

– Continue. Joue le tout.

Elle s'exécuta et il l'écouta un bon moment sans l'interrompre.

– Non. Ici, ça ne va pas.

Elle sourit, narquoise.

– Je te ferai remarquer que ce passage, justement, est de ta composition.

– Même les génies doivent reconnaître leurs

erreurs, convint-il. D'ailleurs, tu ne m'as pas critiqué quand je l'ai écrit.

– Qui? Moi? Je n'interromps jamais les génies au travail.

– Encore heureux!

Il plaqua ses doigts sur le clavier.

– Ecoute, maintenant.

Il répéta la même mélodie en y introduisant une ou deux modifications.

– Alors?

– Je n'ai rien remarqué...

– C'est sans doute parce que ton oreille médiocre ne connaît que de la vulgaire musique de boulevard... Recommençons. Où en étais-je?

– Tu parlais de réécrire le premier mouvement de la *Deuxième Symphonie* de Tchaïkovski.

Brian hocha la tête d'un air faussement exaspéré et laissa ses doigts courir, aériens, sur les touches. Son jeu fut brillant, convaincant et, quand il eut fini, Tina se contenta de dire :

– On veut se faire remarquer?

– Jalouse...

Elle poussa un soupir.

– J'imagine, hélas, que c'est un peu vrai.

Brian éclata de rire et posa sa paume contre celle de Tina.

– Tu vois... Ma main est plus grande que la tienne.

– Oui. Une chance que je n'aie pas décidé de devenir concertiste.

Mais, déjà, Brian portait les doigts de Tina à ses lèvres.

– Tu as des mains ravissantes. J'adore leur parfum. Je suppose que tu le dois à ce petit pot de crème blanc, sur ta coiffeuse...?

– Comment, tu l'as remarqué?

Elle frissonna au contact des lèvres de Brian sur son poignet.

– Il n'y a rien de toi que je ne sache, murmura-t-il. Par exemple, que tu aimes prendre tes bains trop chauds, que tu oublies tes chaussures un peu partout. Et aussi que tu bats toujours la mesure du pied gauche. Ah! Et puis encore...

Il s'interrompit pour attirer son visage contre le sien. Sa main glissa vers la poitrine de Tina, emprisonna un sein.

– ... Que, lorsque je te touche comme cela, tes yeux deviennent d'un gris sombre et intense.

Sous la bouche de Brian, les lèvres de Tina se firent tendres, consentantes. Il la serra contre lui en murmurant :

– Quand je te sens fondre, comme maintenant, de plaisir, j'en deviens à moitié fou...

Son baiser se faisait plus ardent, plus exigeant. Des vagues de plaisir couraient dans leurs deux corps et, déjà, il commençait à déboutonner le chemisier de Tina, quand, soudain, la sonnerie du téléphone éclata dans la pièce.

Il jura doucement entre ses dents. Tina, plus rapide, était déjà près de l'appareil.

– Allô?

C'était une voix féminine et agréable. Une admiratrice de Brian aurait-elle réussi à dénicher son adresse? songea Tina.

– J'aimerais parler à M. Brian Carstairs, je vous prie.

– Il est... euh... très occupé pour l'instant, répondit Tina.

Elle adressa un radieux sourire à l'intéressé qui, d'ailleurs, la rejoignait et entreprenait à présent de lui embrasser le cou.

– Pouvez-vous lui demander de rappeler sa mère dès qu'il le pourra?

Tina eut un sursaut et tenta de se dégager des bras de Brian.

– Excusez-moi, bredouilla-t-elle, qui avez-vous dit?

– Je suis sa mère, répéta courtoisement la voix. Il a mon numéro.

– Oh! Madame Carstairs, excusez-moi, ne quittez pas.

Elle jeta un regard horrifié à Brian en lui tendant le combiné.

– Allô?

Il maintenait, tout en parlant, la jeune femme contre lui.

– Oui, en effet, j'étais occupé. J'étais en train d'embrasser une créature ravissante dont je suis tombé éperdument amoureux. Pardon?

Tina respira, soulagée.

– Et toi? poursuivait Brian. Comment vas-tu?

– Je vais préparer du thé, murmura Tina avant de s'échapper vers la cuisine.

Elle remplit la bouilloire et s'aperçut soudain qu'elle avait faim. Brian aimait, lui aussi, ces plateaux de fin d'après-midi, dégustés ensemble près du feu, dans une complicité profonde, unique.

Tout en faisant griller des toasts, une vague fugitive de jalousie lui pinça le cœur au souvenir de cette voix maternelle à la fois réconfortante et affectueuse. Quand elle n'était encore qu'une enfant, elle avait souvent espéré entendre une voix comme celle-là la rassurer et la chérir. Allons, se dit-elle en se reprenant aussitôt, tu n'es plus une enfant à présent. Tu as vingt-cinq ans.

Quand elle retourna au salon, Brian téléphonait toujours. Indécise, elle s'arrêta sur le seuil mais, avec un sourire, il l'invita à entrer.

– Je viendrai, maman. Sans doute le mois prochain. Embrasse tout le monde pour moi.

Il prit la main de Tina et ajouta :

– Tu sais... elle a de grands yeux gris, comme la poupée de Clara, au grenier. Oui, je lui dirai. Au revoir, maman. Je t'aime.

Brian raccrocha et jeta un coup d'œil au plateau de thé.

– Je vois que tu t'es rendue utile...

– J'avais faim...

Tandis qu'elle remplissait les tasses, Brian prit un toast et y mordit à belles dents.

– Ma mère me charge de te dire que tu as une voix ravissante au téléphone.

Un peu embarrassée, elle murmura :

– Tu n'aurais pas dû lui raconter que tu étais en train de m'embrasser.

Il rétorqua, l'air grave :

– Ma mère sait que j'ai un faible pour les jolies femmes. Elle sait aussi que je ne me contente pas de les embrasser, mais nous évitons généralement le sujet...

Son toast avalé, il en prit un second et étudia le visage de Tina.

– Tu sais, poursuivit-il, elle aimerait beaucoup te rencontrer. Tu pourrais venir avec moi, le mois prochain, à Londres.

– Brian, je ne suis pas très habituée aux familles...

Il l'interrompit aussitôt :

– Je t'en prie! Mes parents sont vraiment adorables. Et je les aime. Comme je t'aime. C'est important pour moi.

Elle sentit son estomac se nouer et baissa les yeux.

– Tina... insista Brian. Quand te décideras-tu enfin à me faire confiance?

Malgré la sincérité de ses efforts, elle ne parvenait pas à chasser l'angoisse qui sommeillait, tenace, au fond de sa mémoire. Le moment viendrait bien assez tôt d'affronter vraiment le sujet quand ils retourneraient en Californie, songea-t-elle. Pour le moment, elle aimait mieux ne pas y penser.

– Tu as beaucoup de chance, dit-elle finalement.

Elle se mit à arpenter la pièce d'un pas un peu nerveux.

– Oui, je sais, répondit-il.

Il l'observait, pensif. Tina s'approcha de la fenêtre pour contempler la falaise et, plus loin, la mer.

– Si nous allions faire une promenade? proposa-t-elle brusquement. Il fait si beau dehors.

Il la prit par les épaules.

– Tu t'es battue durement, Tina. Mais maintenant, c'est fini.

Il lui jeta un regard rapide, pénétrant.

– Je sais que tu téléphones deux fois par semaine à la clinique. Mais tu ne m'en parles jamais.

Elle se serra contre lui et blottit son visage contre sa poitrine.

– Je t'en prie, n'en parlons pas. Pas ici, pas maintenant. Oh! Brian, il y a tant de laideurs dans mon passé, tant de charges. J'ai besoin de temps. Où est le mal? Ici, je veux qu'il n'y ait que nous deux. Ce sera mon unique caprice, peux-tu me l'accorder?

Il soupira.

— Pas trop longtemps, Tina. Un jour, il faudra affronter la réalité.

Tina leva les yeux vers lui tandis qu'il poursuivait :

— Comme le Joe du scénario qui, lui aussi, veut s'évader dans le rêve. Mais la réalité le rattrape malgré tout, tu te souviens ?

— Je ne vis pas dans un rêve ! protesta-t-elle d'une voix lasse. Déjà, toi, tu as changé ma vie. C'est une chose bien réelle, n'est-ce pas ?

Il pencha la tête pour embrasser les cheveux de Tina. D'une main, il commençait à dégrafer son chemisier.

— Alors, cette promenade... ?

Tina jeta un coup d'œil à la fenêtre et prit un air faussement contrit.

— Une promenade ? Par cette pluie ?

Le soleil, en réponse, inonda la pièce.

— Nous ferions mieux de rester à la maison en attendant que l'orage passe.

Brian hocha la tête et libéra le dernier bouton du chemisier.

— Tu as raison, acquiesça-t-il. Ce ne serait pas raisonnable de sortir dans cette tempête.

Chapitre 13

Mme Pengalley mettait son point d'honneur à ne venir faire le ménage que lorsque Tina et Brian partaient en promenade. Ainsi, pensa-t-elle en contemplant le salon, c'était dans cette pièce qu'ils travaillaient – si l'on pouvait appeler travail ces élucubrations d'artistes. Elle ramassa le plateau de thé, presque déçue de constater une fois de plus que l'on ne buvait guère d'alcool dans cette maison. Pourtant, elle avait lu dans ses magazines favoris que toutes ces célébrités sont des alcooliques notoires. Ceux-là semblaient échapper à la règle.

D'ailleurs, songea-t-elle encore, les deux jeunes gens paraissaient vivre plutôt dans le calme. Mme Pengalley était pourtant sûre que les gens du spectacle avaient d'étranges façons de se divertir et elle s'était attendue à voir arriver des voitures extravagantes débordant de gens étonnamment vêtus, aux mœurs bizarres...

Rien de tout cela ne s'était produit. Elle était bien un peu déçue, à vrai dire. En attendant, la jeune fille aux yeux gris avait plutôt une jolie voix, concéda Mme Pengalley. Mais, après tout, c'était son métier, non?

Elle commença d'épousseter les meubles, le piano, pesta contre les feuilles de papier couver-

tes de notes qui jonchaient chaque coin du salon.
Comment pouvait-on décemment faire le ménage dans ces conditions?

Elle examina le feuillet qu'elle venait de ramasser, détaillant sans les comprendre la portée de musique et les notes. Par contre, elle déchiffra aisément les mots :

Je t'aime et ce n'est pas un rêve.
J'ai besoin de toi, besoin de ton amour.
Ma vie n'est plus que désir. Reviens, je t'aime.

Mme Pengalley fit claquer sa langue d'un air réprobateur. Dire qu'on appelait ça une chanson! Les phrases ne rimaient même pas.

Dehors, le vent soufflait avec force. Brian passa un bras autour des épaules de Tina. Puis il pencha doucement la tête vers elle et déposa un baiser sur ses lèvres. Elle s'accrocha à lui.

— Eh bien... murmura-t-elle. Que se passe-t-il?

Très décontracté, Brian expliqua :

— C'était pour Mme Pengalley. Elle nous épie par la fenêtre du salon...

— Franchement, tu es terrible...

Mais, déjà, il cherchait de nouveau sa bouche. Elle s'abandonna à la chaleur passionnée de son baiser, de son étreinte pleine d'une tendresse ardente. A l'unisson, l'air chargé de soleil embaumait le parfum des roses et du chèvrefeuille.

— Et cette fois, chuchota Brian, c'était pour moi.

— Tu as encore combien d'autres dédicaces? demanda Tina en riant.

— Je suppose que Mme Pengalley en a vu assez

pour méditer là-dessus pendant un bon moment.

Tina hocha la tête, l'air faussement sérieux.

– Voilà pourquoi tu m'aimes, finalement. Pour te servir de moi.

– Entre autres raisons, oui...

Ils s'appuyèrent au mur de pierre qui surplombait l'abîme et contemplèrent la mer grondante à leurs pieds. Tina aimait ce spectacle et le cri des mouettes au-dessus de leurs têtes.

A présent, la composition musicale du film était presque achevée, excepté quelques détails de second ordre à compléter. Leur association professionnelle touchait donc à sa fin.

Tina ne doutait pas de ce que Brian attendait d'elle, désormais, mais elle n'en parlait pas de peur de rompre le charme. Elle espérait, presque candidement, que leur problème de communication se résoudrait de lui-même quand ils reprendraient tous deux le tourbillon de leurs activités. Il leur resterait alors très peu de temps à consacrer à leur vie privée. Sans compter que la toute-puissante presse ne manquerait pas d'analyser, de disséquer le moindre détail de leur relation amoureuse. Il y aurait du vrai, du faux et aussi – ce qui était pire, songea Tina – un savant mélange des deux. Malgré sa lucidité, elle redoutait encore de ne jamais se libérer de la peur qui tenait prisonnière la part la plus secrète d'elle-même. C'était si difficile – si impossible – d'accorder sa confiance après tant et tant d'années de luttes obscures et de solitude.

Les coudes appuyés sur le mur, Brian observait à la dérobée le visage de Tina. La lueur lointaine de son regard l'intriguait, l'inquiétait. Il aurait tant voulu lui apporter le réconfort dont elle manquait !

Un nuage voila le soleil. La lumière devint soudain plus grise, plus froide. Tina soupira.

– A quoi penses-tu ? demanda Brian en jouant de la main avec ses longs cheveux qui s'envolaient autour de son visage.

– Julie et moi sommes allées à Monaco, une fois, et j'ai cru que c'était le paysage le plus beau que je puisse jamais contempler. Maintenant que j'ai vu celui-ci, j'ai changé d'avis.

– J'étais sûr que tu aimerais ce pays.

Il lâcha la boucle qu'il avait formée autour de son doigt et poursuivit :

– J'ai eu si peur que tu refuses... J'étais rongé d'angoisse. Si tu avais dit non, je ne voyais vraiment plus quel autre plan mettre sur pied.

Tina se raidit.

– Un plan ? Quel plan ?

Brian suivit une mouette du regard.

– Je me doutais que tu n'aurais pas accepté facilement de venir vivre avec moi, même quelque temps, si je ne te proposais pas un projet vraiment enthousiasmant pour t'entraîner.

– Et tu m'as fait miroiter ma participation au film comme on montre une friandise à un animal récalcitrant pour le faire céder ?

– Bien sûr que non. Je voulais travailler avec toi sur ce projet parce que, tout d'abord, on me l'avait proposé. Mais c'était une coïncidence heureuse, je n'aurais pas pu rêver mieux.

– Coïncidence et stratégie... murmura Tina. Ainsi, Julie avait raison : je n'aurais jamais réussi aux échecs.

Elle se détourna mais Brian la rattrapa par un bras.

– Tina?

D'un mouvement brutal, elle pivota sur elle-même pour lui faire face. Ses yeux étaient sombres et ses joues rosies par la colère.

– Comment as-tu pu te servir de ce film pour me manipuler? Que signifient ces manigances?

Elle était hors d'elle. Brian, les yeux rétrécis, l'étudiait attentivement.

– Je n'ai rien manigancé, Tina. Je ne t'ai dit que la vérité.

– Une partie seulement, rétorqua-t-elle.

– Dans ce cas, je ne suis pas le seul, n'est-ce pas? Pourquoi es-tu tellement en colère? Parce que je t'aime ou parce que je t'ai permis de comprendre que tu m'aimais?

– Personne n'a le droit de se permettre d'entrer dans ma vie pour en disposer, cria-t-elle. Je déteste me sentir manœuvrée et je veux qu'on me laisse gouverner mon existence comme je l'entends!

– Qu'ai-je fait de si terrible?

– Tu m'as menée par le bout du nez jusqu'ici pour me faire faire exactement ce que tu voulais. Pourquoi n'as-tu pas été sincère avec moi?

Elle serrait les poings de rage. Sa voix retentissait, chargée d'orage.

– Tu ne m'as jamais laissé t'approcher réellement, Tina. Comment pouvais-je, de mon côté, jouer totalement franc jeu avec toi?

Il alluma une cigarette, expira pensivement la fumée.

– Disons alors, reprit-il, que je n'ai pas voulu me permettre de prendre des risques, d'accord?

La colère de Tina redoubla au son de la voix calme, neutre, qui semblait se moquer d'elle.

– Si tu m'avais traitée comme une adulte, je

réagirais maintenant comme une adulte. Mais, à la place, tu m'as traitée comme une enfant incapable de mener convenablement sa vie.

– En ce moment, observa-t-il sans se départir de sa réserve, je constate en effet que tu te conduis de façon puérile.

Elle explosa.

– Ton égoïsme me sidère. Tu ne t'es donc jamais demandé ce que, *moi*, je pouvais ressentir pendant que tu allais et venais dans ma vie au gré de tes caprices?

– Autant que je me souvienne, c'est toi qui m'as repoussé...

– Non, c'est toi qui es parti!

Les larmes qui coulaient sur ses joues l'aveuglaient.

– Personne ne m'a fait autant de mal que toi! Personne! Je te jure que je ne te laisserai jamais la possibilité de recommencer!

Brian écrasa le mégot de sa cigarette sur le mur.

– Tu n'es pas la seule à avoir souffert, cette fameuse nuit-là. Mais j'avais compris que la seule solution était de m'éloigner pour te laisser le temps dont tu avais besoin...

Des pensées confuses s'embrouillaient dans la tête de Tina tandis qu'elle répétait, comme hébétée :

– Du temps... et pourquoi?

Il répondit sèchement :

– Parce que tu n'étais qu'une enfant quand je t'ai quittée et que j'espérais retrouver une femme à mon retour.

– Autrement dit, tu voulais me laisser la chance de... de mûrir, si je comprends bien?

– Je n'avais pas le choix...

Il enfonça ses mains dans ses poches. Sa mâchoire se crispa.

– Vraiment? répliqua-t-elle.

Elle se souvenait de sa détresse, de sa solitude tout au long de ces cinq années.

– Bien sûr, tu as pris la décision de toi-même, sans penser à me consulter.

C'était au tour de Brian de sentir la colère le gagner. Il s'écarta de Tina et lança, encore maître de lui:

– Je n'avais pas le choix. Il m'était impossible de vivre près de toi en simple camarade. Je crois que j'en serais simplement devenu fou.

– Alors tu es parti pendant cinq ans. Ensuite tu réapparais comme par enchantement en te servant de la musique comme prétexte pour m'attirer dans ton lit. En réalité, tu te moques complètement de *Fantasy*, du scénario, de ce que tous, du metteur en scène aux acteurs, attendent de toi. Tu ne t'en es servi qu'à des fins personnelles.

Quand il répondit, la voix de Brian était froide comme la mort.

– Cette fois, Tina, tu as dépassé les limites.

Il se détourna brusquement et disparut. Quelques minutes plus tard elle entendit le moteur de la voiture qui s'éloignait sur la petite route. Elle ferma les yeux. Les mots durs, violents, qu'elle venait de prononcer lui écorchaient encore la bouche. Désorientée, elle passa la main dans ses cheveux et, tremblante, tenta de rassembler ses idées.

Ainsi, *tout ce qui était arrivé entre eux durant ces dernières semaines était le résultat d'un plan parfaitement organisé.* Curieusement, sa colère la quittait, la laissant faible et malheureuse.

Elle se dirigea lentement vers la maison où Mme Pengalley l'accueillit sur le seuil du salon.

– Il y a un appel pour vous, Mademoiselle, de Californie.

Naturellement, elle avait observé avec un intérêt soutenu la querelle qui les avait opposés sous ses fenêtres. Cependant, à la place d'une curiosité malsaine, c'était un sourd instinct maternel qui l'emportait maintenant. Elle eut envie de tendre la main pour réconforter la vedette, mais retint son geste.

– Je vous prépare du thé.

Tina accepta d'un signe de tête, la main sur le combiné. C'était Julie.

– Te voici revenue de ta croisière dans les îles grecques?

– Oh! Depuis déjà plus de quinze jours. Tina...

– Que se passe-t-il?

– Le Dr Karter a essayé désespérément de te joindre et, finalement, il m'a chargée de te transmettre un message.

– Elle est encore partie, n'est-ce pas?

C'était plus une affirmation qu'une question.

– Oui, la nuit dernière. Mais elle n'est pas allée très loin.

Tina perçut une étrange hésitation dans la voix de Julie.

Une sourde angoisse l'étreignit brusquement.

– Julie, dis-moi la vérité.

– Elle a eu un accident, Tina. Il faut que tu rentres.

La chanteuse ferma les yeux.

– Est-elle morte?

– Non, mais son état est désespéré. Tu sais, je déteste avoir à te dire ce genre de choses au téléphone mais la femme de ménage m'a répondu que Brian était sorti.

Bouleversée, Tina jeta un regard vide autour d'elle en répétant mécaniquement :

– Non. Non, il n'est pas là.

Elle chercha à se ressaisir.

– Comment va-t-elle, Julie? Est-elle à l'hôpital?

Julie hésita puis répondit, la voix très calme.

– Cette fois, elle ne s'en tirera pas, Tina. Je suis vraiment désolée. Karter dit que c'est une question d'heures.

– Oh! Mon Dieu...

Depuis si longtemps qu'elle craignait ce dénouement, le choc était pourtant pire que tout ce qu'elle pouvait avoir imaginé.

– Je pars tout de suite.

– Veux-tu que je vous attende, toi et Brian, à l'aéroport?

– Non, non. J'irai directement à l'hôpital. Dis au Dr Karter que je viens aussi vite que je le peux. Julie...

– Oui?

– Reste avec elle, s'il te plaît.

– Compte sur moi.

Quand Mme Pengalley revint avec le plateau de thé, elle comprit tout de suite que quelque chose de grave venait d'arriver. Instantanément, elle se dirigea vers le buffet à liqueurs et sortit le brandy.

– Buvez, Mademoiselle, cela vous fera du bien.

Tina obéit docilement. L'alcool la brûla si fort qu'elle en perdit le souffle pendant quelques secondes.

– Merci, articula-t-elle avec peine.

Elle rendit le verre à la femme de ménage.

– Je me sens beaucoup mieux.

Peu à peu, l'esprit lui revenait.

– Madame Pengalley, croyez-vous que vous pourriez préparer rapidement une valise ? Je dois me rendre d'urgence à l'aéroport. Votre mari acceptera-t-il de m'y conduire ?

– Aïe... murmura la brave femme.

Elle frottait machinalement ses mains l'une contre l'autre.

– Il est parti mais ne vous en faites pas. Il va revenir. Croyez-moi.

Déconcertée, Tina finit par comprendre qu'elle ne parlait pas de son mari, mais de Brian.

– S'il n'est pas rentré avant mon départ, tant pis.

Mme Pengalley secoua la tête.

– Comme vous voudrez. Je prépare vos bagages.

– Merci.

Tina prit le téléphone pour appeler l'aéroport.

Une heure plus tard, les bagages prêts, elle hésitait encore au pied de l'escalier. Tout était arrivé si vite. Elle aurait donné cher pour entendre la voiture de Brian dans l'allée. Malheureusement, le temps pressait. Aussi se concentra-t-elle du mieux qu'elle put pour écrire quelques lignes sur un morceau de papier. Comment pouvait-on dire en deux mots que sa mère agonisait et qu'il fallait sur-le-champ courir à son chevet ?

Elle nota finalement : « Brian, je dois partir. On a besoin de moi, là-bas. Je t'en prie, pardonne-moi. Je t'aime. Tina. »

Elle courut au salon où elle déposa le billet

au-dessus d'une pile de partitions, sur le piano. Puis, attrapant une valise dans chaque main, elle se précipita dehors.

M. Pengalley l'attendait pour la conduire à l'aéroport.

Chapitre 14

Cinq jours déjà s'étaient écoulés sans que Tina eût pris le temps de réfléchir. Le pronostic du Dr Karter s'était révélé juste et le sursis accordé à sa mère trop court pour qu'elle arrivât à temps. Le chagrin et un irrépressible sentiment de culpabilité refermèrent leur étau cruel sur la conscience de la jeune femme. Heureusement, en quelque sorte, la foule de détails nécessaires à l'organisation de l'enterrement la sauva d'une véritable dépression.

Il lui fallait accepter à présent l'idée que sa mère avait disparu à jamais, emportée par l'inévitable conséquence d'une interminable et débilitante maladie. Elle ne pleura pas car le chagrin, déjà, avait depuis trop longtemps creusé ses sillons en elle.

Plus d'une douzaine de fois par jour, Tina essaya de joindre Brian en Cornouailles. Personne ne répondait jamais à la sonnerie du téléphone. A plusieurs reprises aussi, elle envisagea de sauter dans un avion pour le rejoindre mais dut se résigner à abandonner cette folle perspective. Il n'était sûrement pas resté là-bas à l'attendre.

Alors, où pouvait-il se trouver? *Où était-il?* Il ne m'a pas pardonné, songeait-elle sans cesse. Et, pire encore, une autre pensée l'obsédait, lancinante : il ne me pardonnera jamais.

Elle raccrocha pour la centième fois l'appareil muet et capta son reflet dans le miroir de sa chambre. Qu'elle était pâle et misérable! Avec détermination, elle attrapa une palette de fard à joues et s'en appliqua généreusement sur les pommettes... Il valait mieux avoir l'air trop maquillée que malade, songea-t-elle. Je vais m'en sortir. Il le faut.

Elle se détourna du miroir et décrocha de nouveau le téléphone.

Une demi-heure plus tard, Tina descendait l'escalier, vêtue d'une simple robe en soie noire. Elle avait noué ses cheveux derrière la nuque et portait un petit chapeau à bord raide. Julie, justement, sortait du bureau.

– Tu sors, Tina?

– Oui, si je peux remettre la main sur mon sac et mes clés de voiture...

Déjà, elle fouillait fébrilement dans le placard de l'entrée.

– Comment te sens-tu?

Tina leva les yeux et rencontra le regard préoccupé de Julie fixé sur elle.

– Beaucoup mieux. Tu sais, ce sermon que tu m'as fait à la fin de la cérémonie... à propos des remords que je devais à tout prix chasser de ma conscience. Je crois qu'il m'a fait du bien. Depuis j'essaie de mettre tes conseils en pratique.

– C'est une simple question de bon sens, ma chérie. Tu as fait tout ce qui était en ton pouvoir pour sauver ta mère.

Tina soupira.

– Oui, je crois...

Elle referma la porte du placard et poursuivit :

– Je me sens vraiment plus calme, tu sais. Ne t'inquiète pas.

Wayne sortant à son tour du bureau les interrompit.

– J'approuve tout à fait le choix de cette robe.

– Tu as raison, en effet, répliqua Tina. Elle m'a été facturée assez cher par tes soins.

– Voyons, ne joue pas les philistins. L'art véritable n'a pas de prix. Où sors-tu ?

– Je déjeune chez *Alfonso*. Henderson m'y attend.

Wayne caressa la joue de Tina :

– Tu as un peu forcé sur le rouge.

Elle attira la tête de Wayne vers elle pour l'embrasser.

– Ne te moque pas de moi. J'étais trop pâle, voilà tout.

Elle sourit.

– Tu sais, Wayne... Tu as été merveilleux, comme toujours. Je n'ai pas encore eu le temps de vous dire à tous les deux ma reconnaissance pour votre aide et votre réconfort.

– Penses-tu, rétorqua Wayne. J'avais besoin seulement de me distraire de mon travail.

– Je t'adore, murmura Tina.

Elle lui prit les mains et l'arrêta d'un geste.

– Non... Ne dis rien. Tu n'as aucune raison de t'inquiéter à mon sujet.

Elle se tourna vers Julie.

– Toi non plus, d'ailleurs. J'ai l'intention de mettre sur pied un nouveau projet de tournée avec Henderson.

Julie fronça les sourcils.

– Une nouvelle tournée? Voilà six mois que tu travailles sans prendre le temps de souffler: l'album, le concert, le film... Tu as besoin de prendre du repos. Sois raisonnable.

– Non, corrigea Tina. Après ce qui vient d'arriver, il faut que je travaille, au contraire.

– Je t'en prie, insista son amie. D'ailleurs, souviens-toi. Il y a quelques mois à peine, tu parlais d'aller te retirer dans une cabane en rondins au fin fond du Colorado.

Tina hocha la tête.

– C'est vrai. Je voulais écrire et mener une vie champêtre. Adieu la civilisation! Un vrai pèlerinage aux sources, quoi.

Elle embrassa Julie.

– A présent, ce n'est plus nécessaire. J'ai besoin de me dépenser pour épuiser mon trop-plein d'énergie. J'ai envie d'étudier avec Henderson les possibilités d'une tournée en Australie. Mes disques marchent très fort, là-bas.

– Si tu avais parlé à Brian... commença Julie.

Tina l'interrompit aussitôt.

– J'ai essayé de le joindre. En vain.

Il y avait quelque chose de définitif dans sa voix. Elle ajouta aussitôt:

– Apparemment, il n'éprouve pas le désir de me parler. Je ne suis pas sûre, d'ailleurs, de lui en vouloir vraiment.

– Il est amoureux de toi.

C'était Wayne qui venait de prononcer cette affirmation catégorique.

– Oui. Il m'aime. Et je l'aime. Mais, visiblement, ce n'est pas assez et je n'arrive pas à comprendre ce qui manque vraiment. Non... je t'en prie...

Elle saisit la main de Wayne et la pressa entre les siennes.

– J'ai besoin de me changer les idées, insista-t-elle. J'ai l'impression d'avoir été invitée à un pique-nique qui se serait brusquement terminé dans un tremblement de terre. Une bonne nouvelle me ferait du bien...

Une expression taquine passa dans son regard qui allait de Julie à Wayne.

– Et si vous me mettiez au courant?

Elle les vit échanger un signe de complicité et sourit.

– J'ai l'œil, vous savez. Il y a du coup de foudre dans l'air.

Wayne adressa un sourire épanoui à Julie par-dessus la tête de Tina.

– Tu crois? Eh bien, ce coup de foudre dure depuis six ans, ma chère, déclara-t-il, fier de son effort.

– Six ans!

Les sourcils de Tina se haussèrent comiquement. Wayne prit une cigarette.

– Je ne voulais pas être un numéro de plus dans la horde d'admirateurs qui papillonnent autour de Julie.

– Et moi, acheva Julie, j'étais persuadée qu'il était amoureux de toi.

– De moi?

Tina éclata de rire tandis que Wayne remarquait d'un air digne :

– Je ne vois pas ce qu'il y a d'extraordinaire. La plupart des femmes me considèrent comme un homme plutôt séduisant.

– Oh! Mais c'est tout à fait vrai! approuva Tina.

Elle pirouetta sur elle-même et déposa un baiser sur la joue du couturier.

– Seulement je n'ai jamais pu imaginer que tu pouvais vraiment être amoureux de moi. Avec tous ces ravissants mannequins qui t'assaillent journellement...

– Je ne crois pas que le sujet présente un intérêt majeur, protesta-t-il d'un air embarrassé.

Julie sourit.

– Ne t'inquiète pas. Je connais ton passé.

Amusée, Tina voulut en savoir plus.

– Quand la révélation vous est-elle venue, mes tourtereaux? Voilà que j'ai à peine le dos tourné que mes deux meilleurs amis se mettent à se faire les yeux doux.

– Je n'ai jamais fait les yeux doux à personne, protesta Wayne.

– Alors, quand? répéta Tina.

– Figure-toi, commença Julie, que, le lende-main de mon premier jour de croisière, j'étais dans ma chaise longue. Une ombre est passée devant moi. Et qui, à ton avis, me cachait le soleil, vêtu d'un élégant costume d'alpaga blanc?

– Oh! oh! chuchota Tina. J'hésite entre la sur-prise et la franche admiration...

Mais déjà Wayne expliquait:

– Tu comprends, il me fallait agir vite avant qu'un nouveau milliardaire ne me l'enlève, là, sous mes yeux... J'ai donc décidé, moi aussi, qu'une croisière s'imposait... C'est tout.

Julie le regarda d'un air faussement menaçant et laissa tomber:

– Ah! Ces hommes qui se croient tout per-mis...

Il écrasa sa cigarette dans le cendrier.

— Voyons, Julie... Toutes les femmes me trouvent irrésistible.

Elle lui enlaça le cou de ses deux bras et répliqua :

— Pourtant, elles feraient aussi bien, dès maintenant, d'arrêter leur petit jeu.

Wayne soupira.

— Je sens qu'il va y avoir des drames!

— Oui, renchérit Tina en riant. J'ai l'impression très nette que vous allez être terriblement malheureux ensemble. J'espère au moins que vous me laisserez vous administrer ma bénédiction. Si, naturellement, il est question de mariage...

Le regard éloquent échangé par ses deux amis lui donna une soudaine et étrange envie de pleurer.

— Absolument, répondit Wayne. Nous ne nous faisons pas assez confiance pour nous en dispenser.

— Eh bien! Voilà la bonne nouvelle qui me manquait, lança Tina. Maintenant, je dois vous quitter. Je suppose que vous saurez vous divertir sans moi. Au fait, je peux en parler à Henderson ou faut-il encore garder le secret?

— Tu peux lui dire, répondit Julie. C'est pour la semaine prochaine...

Tina sourit.

— Bravo! Il y a du champagne au frigidaire. Je reviens dans une heure ou deux.

— Ton sac, rappela Julie. Tu l'oublies... Et pense un peu à manger.

Tina la rassura en courant vers la porte.

— Le menu, la carte et les suppléments! Juré!

Malgré ses promesses, assise à la terrasse du

restaurant, elle jouait sans appétit avec les *scampi* que le garçon venait d'apporter. Une jungle de plantes exotiques agrémentait le décor lumineux tandis que le soleil se déversait à flots par les larges baies vitrées. Une fontaine murmurante et un parterre de céramiques peintes complétaient l'élégance de la décoration.

Tina observait Henderson. C'était un homme grand et carré, plus proche, pensa-t-elle, du physique d'un bûcheron que d'un distingué imprésario du show-business. Ses cheveux fins et roux ondulaient légèrement sur son crâne et ses yeux d'un joyeux bleu de porcelaine savaient aussi devenir sombres et menaçants.

Il avait le don de se montrer réellement franc et ouvert avec les gens, ce qui le rendait sympathique à beaucoup. Mais il pouvait également devenir froid et tranchant comme le métal.

Il aimait beaucoup Tina. Pas seulement parce qu'elle lui avait apporté le succès et la fortune mais aussi parce que, justement, elle ne faisait jamais rien pour le lui rappeler.

On ne pouvait pas en dire autant de tous ses poulains.

Pour l'instant, ils discutaient sans hâte de l'éventualité d'une tournée en Australie et en Nouvelle-Zélande pour promouvoir le nouvel album de Tina. Henderson mangeait tranquillement et buvait un vin rouge corsé tandis que Tina bavardait de tout et de rien en sirotant de temps à autre, distraitement, son verre de vin blanc.

Henderson remarqua qu'elle ne faisait jamais allusion à la comédie musicale *Fantasy*. Pourtant le metteur en scène, Steve Jarett, s'était montré enthousiaste et Lauren Chase avait approuvé tous les morceaux qu'elle devait interpréter. Au fait, songea Henderson, où était Brian? Il s'était attendu à le voir aux côtés de Tina à son retour de Cornouailles mais elle était revenue seule.

– Je ne crois pas qu'il y aura de problème avec la tournée en Australie, disait Henderson. Mais tu devrais prendre un peu de repos d'abord.

Il l'étudia du regard tandis qu'elle chipotait dans son assiette.

– Tu as encore maigri, Tina. Mange donc.

Elle poussa un soupir exaspéré.

– Allez-vous bientôt cesser de me traiter tous comme une enfant?

Imperturbable, Henderson demanda :

– Tu veux un dessert?

– Non, juste un café.

Il fit signe au garçon, se commanda un gâteau au fromage blanc par la même occasion, et questionna :

– Quelles nouvelles pour *Fantasy*?

– C'est fini.

– Raconte un peu, tout de même.

Elle le fixa droit dans les yeux.

– C'est fini, répéta-t-elle en martelant les syllabes. Je ne crois pas qu'il y ait de retouches à y apporter mais, si c'était le cas, Brian ou son imprésario prendront contact avec toi, j'imagine.

Henderson répondit doucement :

– Jarett aura probablement besoin de vous deux pendant le tournage. A ta place, je ne considérerais pas l'affaire comme close.

Tina ne cacha pas son agacement.

– Nous verrons bien quand l'occasion se présentera, murmura-t-elle.

– Comment le travail s'est-il passé?

Elle lui jeta un regard qu'elle voulait impénétrable.

– Il s'agit, je crois, de la meilleure musique que nous ayons pu composer l'un et l'autre.

– Il me semble, souligna Henderson, que vous avez déjà prouvé que vous savez travailler ensemble. *Nuages et Pluie* a été un vrai tube et, après ton concert à New York, le disque s'est vendu comme des petits pains.

Tina reposa sa tasse de café.

– Brian a raison quand il dit que nous nous complétons bien sur le plan artistique.

– Et sur le plan privé?

Elle baissa les yeux.

– Ecoute... Je...

Henderson avala un morceau de gâteau et l'interrompit, la bouche à moitié pleine.

– Bon, bon... Garde tes explications pour lui.

– Pour qui?

– Brian... Il est ici, justement.

Saisie, Tina pivota sur sa chaise et ses yeux incrédules s'accrochèrent à ceux de Brian qui l'observait du seuil. Une joie immédiate, irrésistible l'envahit. Son premier mouvement fut de s'élancer vers lui. Elle avait déjà repoussé sa chaise quand l'expression de rage froide qu'elle lut sur le visage de l'artiste l'arrêta net.

Rapidement, il les rejoignit.

Elle se sentit prise au piège sous le regard qui ne la lâchait pas. C'était comme si Henderson n'avait même pas existé.

– Viens.

– Comment? bredouilla Tina, ahurie.

– J'ai dit : viens. Maintenant.

Brian la prit par la main pour l'obliger à se

lever. Elle se sentait à la fois bouleversée et effrayée.

– Brian...

– Maintenant, répéta-t-il.

Il fit mine de l'entraîner à sa suite à travers le restaurant.

– Lâche-moi, gronda Tina, furieuse. Qu'est-ce qui te prend? Je t'interdis de...

Il s'arrêta, se retourna et riva son regard au sien.

– Tu préfères que je te dise ici et tout haut ce que j'ai sur le cœur?

Sa voix s'élevait, mordante, claire. Tina s'aperçut que la salle de restaurant était devenue d'un coup lourdement silencieuse. Ils étaient une fois de plus la cible de tous les regards mais, cette fois, la scène était bien différente de leur tendre complicité new-yorkaise.

Elle prit une longue inspiration.

– Il n'y a aucune raison de me faire une scène, Brian.

– Au contraire, rétorqua-t-il. Je me sens tout à fait l'envie de tenir mon rôle dans un superbe drame!

Sans discuter davantage, il la tira derrière lui hors du restaurant. Une Mercedes attendait au bord du trottoir, il poussa la jeune femme à l'intérieur avec une implacable autorité.

– Comment oses-tu? s'écria-t-elle.

Il prit place à ses côtés et claqua la portière.

– Tais-toi. Sinon, je serais tenté de t'étrangler ici même, sur-le-champ.

Il démarra en trombe et Tina, épuisée, s'affala sur le siège de la voiture.

Très bien, songea-t-elle. Je me tais. Juste le temps de réfléchir à ce que je vais te dire...

Chapitre 15

Lorsque Brian arrêta la Mercedes devant les portes de l'hôtel *Bel-Air*, Tina avait une tirade toute prête dans sa tête. A peine sortie, elle ouvrit la bouche pour attaquer la première, mais il la poussa brutalement à l'intérieur de l'hôtel.

– Je t'interdis de me bousculer comme un malappris.

– Et moi, je te prie de te taire.

Ils passèrent en trombe devant le portier, traversèrent le hall; Tina derrière Brian, moitié courant, moitié trébuchant, essayait de garder contenance sous les regards curieux des spectateurs de la scène.

– Ne me traite pas comme un vulgaire sac que l'on traîne derrière soi, marmonna-t-elle, furieuse. Je ne supporterai pas que tu te conduises de cette manière.

– Et moi, je suis fatigué de tes caprices.

Il la prit par les épaules et ses doigts s'enfoncèrent cruellement dans la chair de la jeune femme.

– A mon tour de fixer les règles du jeu.

Puis, sans transition, il plaqua sa bouche contre celle de Tina. Son baiser fut avide, dévorant, rageur. Il la conquit, la mordit, forçant la voie

211

derrière les lèvres serrées qui le refusaient. C'était un duel bien plus qu'un baiser.

Quand il consentit enfin à la libérer, elle tremblait de rage et d'émotion. Elle ne parvenait plus à savoir quoi, de la peur ou de la colère, l'emportait en elle. Plus un mot ne fut échangé entre eux jusqu'à ce que Brian ouvrît la porte de la chambre. Sitôt le verrou poussé, elle s'avança nerveusement au milieu de la pièce.

— Brian...

— Non. C'est à moi de parler le premier. C'est moi qui fixe les règles du jeu, tu te souviens?

Il s'approcha vivement d'elle tandis qu'elle frottait son bras endolori.

— D'abord, je ne veux plus ni mystère ni caprice. Je ne supporterai plus que tu dissimules la vérité avec moi.

Son visage était tout contre le sien, elle pouvait y lire les traces d'une extrême lassitude. Il poursuivit :

— Déjà, il y a cinq ans, tu as joué le même jeu, te cachant sans cesse, me refusant toujours ta confiance.

Elle secoua la tête.

— Non. Ce n'est pas vrai.

Il explosa.

— Si! Tu n'as jamais voulu me dire, par exemple, la réalité à propos de ta mère ni les épreuves que tu avais à affronter à cause d'elle. M'as-tu laissé seulement l'occasion de t'aider, de te réconforter?

Elle ne s'attendait pas à ce reproche et, troublée, se pressa le front à deux mains.

— Je ne pouvais pas...

— Dis plutôt que tu ne voulais pas partager

quoi que ce soit d'important avec moi. J'en suis convaincu...

Sa voix sourde tremblait d'une rage à peine contenue. Il s'écarta d'un pas, prit une cigarette. Il fallait qu'il s'occupe les mains pour se retenir de la secouer brutalement comme il en avait envie.

– Cette fois, Tina, j'aimerais que tu me dises franchement... M'aurais-tu fait les mêmes confidences si, ce fameux soir, en Cornouailles, tu n'avais pas été effrayée par un cauchemar?

Confuse, elle hésita.

– Je ne sais pas. Ma mère est un problème qui ne te concerne pas.

Brian jeta sa cigarette avant même de l'allumer et répliqua, furieux :

– Comment peux-tu dire une chose pareille?

Il se détourna rageusement et s'approcha du bar pour se verser un bourbon.

– J'aurais dû m'éloigner pour de bon, murmura-t-il. Plutôt te perdre que te laisser m'abandonner encore une fois.

Saisie, Tina le regarda fixement.

– T'abandonner?

C'était un cri qui lui avait échappé.

– Alors que c'est toi qui m'as quittée, sans un mot, sans un adieu. Tout ce que j'ai su de toi, ensuite, je l'ai lu dans les journaux. Il ne t'a pas fallu longtemps, d'ailleurs, pour te consoler auprès d'autres femmes – beaucoup d'autres femmes.

Brian avala son verre d'un trait.

– Tu as parfaitement raison. J'ai tout essayé pour t'oublier, j'ai multiplié les liaisons autant que j'ai pu. Je me suis servi de femmes inconnues pour chasser ton souvenir mais...

Il eut un haussement d'épaules.

– ... Je n'ai pas réussi. J'ai compris que c'était toi qui comptais, et personne d'autre. Il fallait que je sois patient, c'est tout.

Les yeux de Tina flambaient de colère.

– Comment peux-tu prétendre que c'est moi qui t'ai abandonné? répéta-t-elle.

Il lui saisit les poignets.

– C'est pourtant exactement ce que tu as fait. Ce jour-là, Julie était sortie. Tu te souviens?

– Je n'ai pas oublié, figure-toi.

– Ah vraiment?

Sa voix était coupante.

– Il y a pourtant quelques détails que tu sembles avoir négligés. Ce soir-là, Tina, j'étais venu chez toi pour te demander de m'épouser.

Elle sursauta, stupéfaite.

– Tu es surprise, n'est-ce pas? Il faut croire que nous avons deux mémoires bien différentes. Et, Dieu le sait, durant le temps que nous avons passé ensemble à cette époque, je t'ai été fidèle au-delà de toute raison. Je n'ai jamais touché une autre femme.

Tina murmura avec lassitude :

– Jamais tu ne m'as parlé ainsi. Jamais tu ne m'as dit que tu m'aimais.

Il rétorqua :

– Tu me repoussais à la moindre tentative pour me rapprocher de toi. Quoi que je dise ou que je fasse, tu ne m'accordais pas ta confiance.

– Oh! Brian...

– Cette nuit-là, poursuivit-il, j'ai cru que j'allais devenir fou. La maison était si calme, si paisible.

Il lissa ses cheveux d'un geste nerveux.

– Je savais pourtant que, dès que je te touchais, tu fondais de désir et d'amour pour moi. Et puis d'un coup tout basculait : j'avais devant moi une enfant terrifiée qui luttait pour m'éloigner d'elle, m'interdisant de la toucher, de la caresser...

A cette évocation toute froideur disparut brusquement de son visage. Il l'enveloppa d'un regard étrange et pénétrant.

– Aucune femme n'a été capable de me faire souffrir autant que tu l'as fait.

Tina ferma les yeux.

– Brian... Je n'avais que vingt ans et il y avait tant de choses qui...

– Oui, maintenant, je comprends. Mais, à cette époque, je ne le pouvais pas. Il a fallu que je m'éloigne de toi, que je quitte Los Angeles. Pendant ces cinq années, je me suis laissé volontairement absorber par mes activités pour mieux te chasser de mes pensées.

Il observa une pause, puis reprit :

– Quand j'ai appris par les journaux que tu avais si formidablement progressé dans ta propre carrière, je me suis dit qu'il était temps, pour moi, de revenir te chercher.

Il leva la main.

– Non, laisse-moi continuer. Lorsqu'on m'a proposé d'écrire la musique de *Fantasy*, j'ai aussitôt pensé à toi.

Il ajouta sans détours :

– Et j'aurais cherché n'importe quel moyen pour arriver à mes fins. Cependant, je ne t'ai pas menti quand je t'ai dit que j'espérais beaucoup de notre collaboration professionnelle.

Il s'approcha de la fenêtre.

– Contrairement à ce que tu peux penser, je

n'avais pas seulement l'idée de t'attirer dans mon lit.

La gorge de Tina était étrangement nouée.

— Brian...

Très pâle, elle avala péniblement sa salive.

— Jamais je n'ai eu autant honte après t'avoir lancé toutes ces sottises à la tête ce jour-là, sur la falaise. Mais il a fallu que je parte aussitôt et... comme je te l'ai dit dans le billet...

Il l'interrompit, la voix dure.

— Quel billet ?

— Mais... celui que je t'ai laissé sur le piano.

Brian respira profondément, comme pour se calmer.

— Je n'ai rien vu. Ou plutôt, j'ai attrapé toutes les partitions pêle-mêle pour les emporter avec moi à New York. Je suis devenu à moitié fou quand j'ai découvert que tu avais quitté la maison. Dès le lendemain, je m'envolais pour les Etats-Unis.

— Julie venait juste de me téléphoner après l'accident...

Il se raidit.

— Quel accident ?

— Ma mère... Le Dr Karter disait que c'était une question d'heures et, en effet...

Elle s'interrompit un instant pour achever, la gorge serrée :

— ... Je suis arrivée trop tard, de toute façon.

Brusquement, toute trace de sévérité s'évanouit sur le visage de Brian.

— Tina... Je suis désolé. Comment pouvais-je savoir...

Maintenant les larmes coulaient, silencieuses, sur les joues de la jeune femme.

— J'étais si terrifiée, murmura-t-elle. Comme

écrasée par l'amour que j'éprouvais pour toi. Tu étais le premier... Mais tu semblais tant exiger! Même cette nuit-là, en Cornouailles, quand nous étions si proches l'un de l'autre, il me semblait que tu voulais encore plus...

– Tina, ce n'est pas seulement ton corps que je désire. Non, ce n'est pas ce que j'ai attendu depuis plus de cinq ans.

Confuse, bouleversée, elle bredouilla :

– L'amour... est-ce que ce n'est pas suffisant?

Il secoua la tête.

– Non. Je veux plus.

Il réfléchit, chercha ses mots.

– Je veux ta confiance totale, tu comprends? A présent, il est temps de te décider. C'est tout ou rien.

Crispée, elle tenta de discuter.

– Tu ne peux pas me posséder comme un objet, tout de même.

Un éclair de rage froide traversa les yeux de Brian.

– Bon sang! Ce que je veux, c'est que tu m'appartiennes. Ne fais-tu pas la différence?

Elle le contempla longtemps, consciente qu'une paix nouvelle montait en elle, à l'assaut de la crainte et du chagrin. Doucement, elle répondit :

– Je n'avais pas compris, Brian. Pardonne-moi.

Tout se passa alors à la vitesse de l'éclair. Ils se retrouvèrent jetés l'un contre l'autre, impatients de se confondre à nouveau, avides de se retrouver. Brian la serrait à l'étouffer entre ses bras, la caressait, murmurait des mots qu'elle n'avait même pas besoin d'entendre.

De ses doigts impatients, il commença à la

dévêtir, luttant avec la fermeture Eclair de la robe en jurant entre ses dents. Elle se mit à rire tout bas tandis qu'il l'allongeait avec précaution sur le tapis.

Ils étaient corps contre corps, chair contre chair, et Tina pouvait le sentir frémir sauvagement contre elle. Sa bouche, ses mains la cherchaient, la dévoraient. Très vite le désir les engloutit l'un en l'autre, désespérément affamés, submergés par les vagues de fond de la passion et de la nécessité.

Le plaisir extrême, presque douloureux, les amena ensemble au moment d'extase, puis ils s'abandonnèrent, épuisés, à la paix qui enfin chassait pour toujours l'angoisse et la détresse.

Le temps n'avait plus d'importance tandis qu'ils reposaient, silencieux, enlacés l'un à l'autre. Tina sentait contre sa peau le souffle court de Brian.

Elle fit courir ses lèvres sur son épaule et murmura :

– Brian...

Il redressa la tête et lui sourit.

– Oui?

Elle éclata de rire.

– Je... je ne me rappelle plus ce que je voulais te dire. Ça ne devait pas être bien important.

Il la couvrit de petits baisers taquins.

– Tu étais distraite...

Elle fit mine de se concentrer.

– C'était quelque chose comme t'aimer au-delà de toute raison, de toute crainte. Vouloir t'aimer et t'appartenir chaque jour plus que la veille.

Elle caressa le dos, les reins de Brian et acheva dans un souffle :

– Tout est allé si vite...

Il s'allongea sur elle, le visage enfoui dans l'odeur de son cou.

– Cette fois, murmura-t-il, nous allons ralentir la mesure... Moins de tempo, plus de mélancolie, n'est-ce pas?

Tina ferma les yeux, éperdue de bonheur.

– Oui, Brian, oui...

Et leurs deux êtres s'unirent pour créer la plus belle des musiques.

KRISTIN JAMES

Un soir, un rêve

Un seul regard leur a suffi

Lorsque Tonio Cruz refait irruption
dans la vie d'Erica Logan, ce sont dix ans
qui disparaissent d'un seul coup.

Elle se revoit, à dix-sept ans, petite fille gâtée
d'un gros propriétaire de plantation - et lui,
l'employé de son père, follement séduisant...

Depuis, elle a travaillé, réussi. Mais
le souvenir de Tonio ne l'a jamais quittée.

Et maintenant qu'il est devenu ce riche
promoteur tout-puissant dans la région,
comment va-t-elle affronter sa présence ?

Comment va-t-elle résister à l'emprise
qu'il exerce toujours sur elle ? Et, surtout,
comment va-t-elle lui avouer que son fils,
le petit Danny qu'elle adore, est aussi le sien ?

Duo *Série Harmonie*

MONICA BARRIE

La valse du passé

L'amour? Ou l'argent?

Perri Cortland, agent immobilier,
est sur le point d'obtenir le plus
beau succès de sa carrière - à une
condition: que le propriétaire
de l'île Sophia lui vende son petit
paradis, dont elle fera
une luxueuse résidence
pour milliardaires.

Hélas! Krane Elliott,
le beau-fils du propriétaire,
est farouchement opposé
à la vente. Ce qui ne l'empêche
pas d'éprouver une attirance
irrésistible pour la très belle Perri.

Et bientôt elle va devoir choisir:
ou elle renonce à l'île,
ou elle perd Krane...

Série Harmonie

BEVERLY BIRD

A force de t'aimer

Il apportait avec lui
la lumière...

Puisqu'elle savait qu'un
jour elle deviendrait
aveugle, Courtney Winston
avait décidé de prendre
son destin en main.

Désormais elle se consacrerait
à l'institution qu'elle avait fondée
pour les enfants mal-voyants.

C'est alors que Joshua Knight est
apparu. Joshua Knight qui
s'est mis en tête de prouver à Courtney
qu'elle a tout à découvrir de la vie...
et qui l'entraîne irrésistiblement,
par des chemins merveilleux,
dans un univers ignoré...

Duo
Série Harmonie

Ce mois-ci

Duo Série Romance

Duo Série Désir

Le mois prochain

Duo Série Romance

Duo Série Désir

Achevé d'imprimer sur les presses de l'imprimerie Brodard et Taupin
7, Bd Romain-Rolland, Montrouge. Usine de La Flèche,
le 25 janvier 1984. ISBN : 2 - 277 - 83001 - 1
1550-5 Dépôt légal janvier 1984. Imprimé en France

Collections Duo
27, rue Cassette   75006 Paris
diffusion France et étranger : Flammarion